D0491224

LES ROMAINS

****

LES ROMAINS

Suite romanesque en cinq volumes

* Spartacus : La Révolte des esclaves
** Néron : Le Règne de l'Antéchrist
*** Titus : Le Martyre des Juifs
**** Marc Aurèle : Le Martyre des Chrétiens
***** Constantin le Grand : L'Empire du Christ

La liste des ouvrages du même auteur figure en fin de volume.

Max Gallo

LES ROMAINS

****

Marc Aurèle
Le Martyre des Chrétiens

Fayard

REPÈRES CHRONOLOGIQUES

Romulus : 754-715 av. J.-C.

République romaine

Marius, consul : 107 av. J.-C.
Sylla, consul : 88 av. J.-C.
• Guerre servile de *Spartacus* : 73-71 av. J.-C. — *Les Romains*, t. 1
Pompée et Crassus, consuls : 70 av. J.-C.
César passe le Rubicon : 49 av. J.-C.
Assassinat de César : 44 av. J.-C.

Empire romain — Dynastie julio-claudienne

Octave-Auguste : 27 av. J.-C. -14 apr. J.-C.
Tibère : 14-37
Crucifixion du Christ : autour de 30
Caligula : 37-41
Claude : 41-54
• *Néron* : 54-68 — *Les Romains*, t. 2

Galba
Othon
Vitellius : 68-69

Dynastie flavienne

Vespasien : 69-79
• *Titus* : 79-81 — *Les Romains*, t. 3
Domitien : 81-96
Nerva : 96-98

Dynastie des Antonins

Trajan : 98-117
Hadrien : 117-138
Antonin le Pieux : 138-161
• *Marc Aurèle* : 161-180 — *Les Romains*, t. 4
et Lucius Verus : 161-169
Commode : 180-192
Pertinax : 193

Dynastie des Sévères

Septime Sévère : 193-211
Dioclétien : 284-304
Maximien : 286-304 ; 306-310
Galère : 304-311
Constance Ier Chlore : 305-306
Sévère : 306-307
Maximin II Daia : 307-313
Licinius : 307-323

Dynastie constantinienne

• *Constantin Ier* : 306-337 — *Les Romains*, t. 5
Crispus César : 317-326
Constantin II : 337-340
Constant Ier : 337-350
Constance II : 337-361
Julien l'Apostat : 361-363
Jovien : 363-364

476 – Fin de l'Empire d'Occident

« Laissez-moi être la pâture des bêtes grâce auxquelles il me sera donné de jouir de Dieu. Je suis le froment de Dieu ; il faut que je sois moulu par les dents des bêtes pour que je sois trouvé pur pain du Christ. »

Lettre d'IGNACE aux fidèles de Rome.

« Le sang des martyrs fut la semence des Chrétiens. »

TERTULLIEN.

« La durée de la vie humaine ? Un point. Sa substance ? Fuyante. La sensation ? Obscure. Le composé corporel dans son ensemble ? Prompt à pourrir. L'âme ? Un tourbillon. Le sort ? Difficile à deviner. La réputation ? Incertaine. Pour résumer, au total, les choses du corps s'écoulent comme un fleuve ; les choses de l'âme ne sont que songe et fumée. La vie est une guerre et un séjour étranger ; la renommée qu'on laisse, un oubli. Qu'est-ce qui peut la faire supporter ? Une seule chose, la philosophie. »

MARC AURÈLE.

PREMIÈRE PARTIE

1.

À la vue du nouvel empereur de Rome, Commode, j'ai éprouvé dégoût et désespoir.

Il riait, allongé à côté de l'une des tables basses de la taverne qu'il avait fait installer dans la plus grande des salles du Palais impérial.

Il tendait le bras, ramassait les dés, les relançait, et autour de lui, femmes et jeunes gens, maquillés, épilés, le visage blanc de poudre, les yeux cerclés de noir, les lèvres rouge sang, les cheveux parfois bleus ou couverts de paillettes d'or, s'exclamaient et le félicitaient.

Ils se penchaient, ensevelissaient Commode sous leurs corps à demi dénudés, et le rire de l'empereur devenait plus grave, comme le grognement d'un félin qu'on caresse et excite du bout des ongles.

Brusquement, Commode se redressait, écartait les corps, ne gardant contre sa poitrine qu'une femme et un adolescent dont il serrait le cou dans la saignée de chaque bras, si bien que cette prostituée et cet amant se débattaient, piégés, étouffés ; puis il les entraînait dans la pénombre, suivi par la troupe de ses courtisans, de ses putains qui renversaient tables et lits, bousculaient les esclaves dans leur hâte à rejoindre

Commode et partager sa couche dans l'une des chambres voisines.

Je suis resté dans la salle du palais, devenue bouge et lupanar.

Ici j'avais écouté la voix sourde, souvent teintée d'ironie, de Marc Aurèle, celui qu'au jour de ses obsèques on avait proclamé « Dieu propice » et que, tout au long de son règne de dix-neuf années, on avait appelé le Sage, le Philosophe.

Dans ce palais aujourd'hui souillé, et alors que la maladie creusait ses traits, blanchissait sa barbe bouclée, il m'avait dit :

– Ne maudis pas la mort, Priscus, mais fais-lui bon accueil, puisqu'elle est au nombre de ces phénomènes que veut la Nature. La dissolution de notre être est un fait aussi naturel que la jeunesse, la vieillesse, la croissance, la pleine maturité...

Et la voix de ce sage, de celui que, selon son âge, on appelait « Marc mon père », ou « Marc mon frère », ou encore « Marc mon fils », de cet honnête homme qui avait voulu gouverner pour le bien du genre humain, était à présent recouverte par les gloussements de ces putains, de ces eunuques, de ces pervertis, et par les râles de plaisir du nouvel empereur de Rome, Commode, le propre fils de Marc Aurèle.

Un fils ? Un débauché cruel, un « Néron chauve », ainsi qu'on le surnommait parfois, un histrion qui aimait à combattre dans l'arène, tenir les rênes d'un char lors d'une course au Circus Maximus.

Il se vautrait dans les perversions, renversait le pouce pour qu'on égorgeât les combattants vaincus.

Un fils, lui dont on murmurait, alors qu'il n'était encore qu'un adolescent : « Ce n'est pas un prince, ce n'est qu'un gladiateur ; non, ce n'est pas là le fils de Marc Aurèle ? »

Mais ce dernier l'avait reconnu pour enfant légitime issu du ventre de son épouse Faustine.

Qui pouvait néanmoins le croire ?

J'avais observé Commode alors qu'il n'était qu'un jeune garçon.

Il repoussait les maîtres d'études. Il dansait, chantait, sifflait, jouait à la perfection au bouffon et au gladiateur. Il brisait les coupes en les lançant à la tête des esclaves dans ses explosions de fureur.

Je le savais dépravé déjà, pervers, cruel, et l'un de ses précepteurs m'avait confié : « Sa bouche, Julius Priscus, connaît déjà les souillures et le stupre », puis, baissant encore la voix, il avait ajouté, rempli d'effroi : « Il a la cruauté d'une divinité du Mal. »

J'avais appris que, séjournant dans l'une des villas impériales, au bord de la mer, et ayant trouvé l'eau de son bain trop tiède, Commode avait exigé qu'on jetât l'esclave préposé à l'entretien du feu dans la chaudière. Le pédagogue qui avait reçu cet ordre avait fait brûler dans le four une peau de mouton pour que la fumée nauséabonde fît croire à Commode qu'on lui avait obéi.

Tel était le fils de Marc Aurèle !

De l'homme que j'avais entendu un jour, alors que sa vue faiblissait et que la lecture l'épuisait, dire : « Il ne m'est plus permis de lire, Priscus. Mais il m'est toujours permis de repousser de mon cœur la violence ; il m'est toujours permis de mépriser le plaisir et la peine ; il m'est toujours permis d'être supérieur à la vaine gloire ; il m'est toujours permis de ne pas m'emporter contre les sots et les ingrats ; bien plus, il m'est permis de continuer de faire du bien. »

J'avais été souvent fasciné, inquiété parfois par le détachement de Marc Aurèle, son renoncement au monde, sa conviction, qu'il me répétait, de l'universelle vanité des choses :

– Priscus, pour mépriser le chant, la danse, la lutte, les jeux, il suffit de les diviser en leurs éléments. La musique, par exemple : si tu divises chacun des accords en sons et que tu te demandes pour chaque son : « Est-ce là ce qui me charme ? » – il n'y a plus de charme. De même pour la danse : divise le mouvement en attitudes. Ou encore pour la lutte et les jeux. En un mot, pour tout ce qui n'est pas la vertu, réduis l'objet à ce qui le compose en dernière analyse et, par cette division, tu arriveras à le mépriser. Applique ce procédé à toute la vie.

Et le fils de cet homme, le nouvel empereur Commode, conduisait des chars en tenue de cocher, vivait avec des gladiateurs, embrassait dans l'amphithéâtre devant les spectateurs son giton Saotérus, choisissait pour son entourage des prostituées et des pervertis avec qui parfois il se comportait en domestique, leur servant le vin, leur léchant le corps comme un chien, entremetteur et débauché, n'ayant de goût que pour une vie d'infamie, non pour le gouvernement du genre humain.

Tel était le fils de Marc Aurèle, l'empereur philosophe.

Quelle vengeance divine s'exerçait ainsi ? Pour quelle faute Marc Aurèle était-il puni, condamné à léguer à Rome un descendant cruel qui faisait oublier la sagesse, la mesure, la vertu du père et rappelait le règne de la Bête, le temps de Néron ?

Depuis la mort de Marc Aurèle, ces questions ne cessaient de me hanter. Il m'avait semblé que l'empereur lui-même, aux derniers jours de sa vie, s'interrogeait.

Il me recevait souvent sous sa tente, au centre de ce camp que les légions avaient dressé sur les bords du Danube, non loin de Vienne.

Les hordes sarmates, les Marcomans, les Quades, les Germains ne cessaient de nous attaquer. Ces guerres contre les Barbares, ceux du Danube, du Rhin ou de l'Euphrate, avaient commencé dès l'avènement de Marc Aurèle, il y avait dix-neuf années de cela. Et elles n'avaient plus jamais cessé.

Je sentais la lassitude de l'empereur. J'avais le sentiment qu'il voulait mourir, par désespoir, non parce que cette guerre ou cette vie de soldat l'accablaient, mais parce qu'il voyait près de lui Commode, son successeur, ce fils au visage de bouvier ou de boucher, au torse et aux manières de gladiateur, avide en toute chose, les mains et les lèvres couvertes de graisse, celle de la viande rôtie de sanglier qu'il arrachait à l'os à pleines mains, à pleines dents.

Marc Aurèle, lui, repoussait l'assiette remplie de soupe de blé, refusait toute nourriture, ne s'alimentant que de quelques miettes de galette quand il devait haranguer les soldats avant la bataille.

Un soir, une dizaine de jours avant sa mort, il s'était allongé, mains croisées sur sa poitrine, ressemblant déjà à un cadavre, le visage émacié, les os déchirant sa peau de toute part – aux phalanges, aux coudes, aux pommettes, aux épaules.

D'un signe il m'avait demandé d'approcher :

– Priscus, le seul motif qui pourrait m'attacher à la vie et m'y retenir, ce serait le bonheur de me trouver avec des hommes qui auraient les mêmes opinions que moi. Mais, à cette heure, je vois mon âme déchirée, et que me reste-t-il à crier ? « Ô mort, ne tarde plus à venir de peur que je n'en arrive, moi aussi, à m'oublier, à renoncer à la sagesse, à devenir... »

Il n'avait pas ajouté : « comme Néron et d'autres empereurs qui avaient tué leurs proches », mais c'est ainsi que je l'avais compris.

Et peut-être Commode, sous son front bas, avait-il deviné le mépris dans lequel son père le tenait, la tentation de meurtre à laquelle il avait peur de succomber, ce pourquoi il voulait mourir. Peut-être au demeurant le fils avait-il empoisonné le père, ne supportant plus d'être confronté à cet homme dont tout le séparait ?

Je n'ai pu dissimuler à Marc Aurèle ma peine, mon désespoir de le voir se suicider de manière presque paisible, sans même que l'aigu, l'éclat, la pointe d'une lame vienne trancher sa vie. Il étouffait la flamme en n'alimentant plus le foyer.

Au sixième jour de sa maladie, si faible qu'il était une proie sans défense, il m'a pris la main et a murmuré :

– Pourquoi pleures-tu à cause de moi, Priscus ? Réfléchis plutôt à la peste...

Il s'était tourné vers les quelques proches centurions, tribuns et légats qui avaient envahi la tente :

– Et vous, songez à sauver l'armée ! Je ne fais que vous précéder.

Quelqu'un lui avait demandé à qui il recommandait son fils qu'il avait déjà élevé à la dignité d'imperator, de consul, d'Auguste, il avait murmuré : « À vous, s'il s'en montre digne, et aux dieux immortels. »

Mais personne n'avait pu retenir Commode de souiller le souvenir de son père en peuplant le Palais impérial de prostituées et de pervertis, de gladiateurs, de cochers de cirque et d'amphithéâtre, et en chassant de Rome ceux qui avaient naguère entouré son père.

Je n'avais pas attendu l'humiliation et les dangers de l'exil ordonnés par l'empereur pour quitter ma maison du Palatin.

J'avais gagné la villa de Capoue construite par Gaius Fuscus Salinator, l'un des fondateurs de ma lignée, au temps de César et Crassus, il y avait plus de deux siècles de cela.

Les miens, génération après génération, avaient ajouté des bâtiments, des champs où l'on cultivait l'orge et le blé, et un immense verger qui entourait la colline au sommet de laquelle se dressait notre demeure familiale.

Depuis trois ans je ne l'avais pas quittée, m'interrogeant sans relâche sur ce destin de Marc Aurèle, homme de bien qui n'avait légué à Rome qu'un Commode. Pourquoi ce choix des dieux ? Quelle faute avait-il commise ?

Je méditais, lisais et relisais ce qu'il avait écrit.

Je passais mes nuits, moi, Julius Priscus, vieil homme de soixante-six années, avec une jeune esclave, Doma, que j'avais affranchie et dont j'espérais qu'un jour, si les dieux le voulaient, elle me donnerait un fils.

Mais, en même temps, je redoutais cette naissance. Un dieu vengeur pouvait me tromper, m'offrir le piège d'un enfant qui me renierait, pareil en cela à Commode qui avait trahi Marc Aurèle.

Je marchais pour tenter de calmer le tumulte de mes pensées.

J'arpentais le verger. Je me glissais entre les arbres. Leur présence me rassurait. Ils étaient les rejetons de ceux plantés par mes aïeux, et j'étais comme eux le descendant de tous ceux, hommes et femmes, qui avaient vécu là avant moi.

Je m'allongeais sur le lit dans ma bibliothèque. En face de moi se dressait la statue de Marc Aurèle que j'avais fait sculpter dans les jours qui avaient suivi son décès.

À la nuit tombée, les esclaves apportaient les lampes et je déroulais ces manuscrits écrits par deux de mes ancêtres.

Gaius Fuscus Salinator avait raconté la Guerre servile de Spartacus à laquelle il avait participé aux côtés de Jules César et de Crassus.

Serenus, il y avait cent ans, avait pour sa part rédigé les Annales de sa vie.

Je lisais aussi les historiens Tacite et Suétone.

Je tissais ainsi le fil reliant César à Marc Aurèle.

J'étais né le jour même de la mort de l'empereur Trajan qui, après le règne de deux ans de l'empereur Nerva, avait succédé à Néron, Vespasien, Titus et Domitien.

J'avais connu les successeurs de Trajan, Hadrien le Grand et Antonin le Pieux. J'avais grandi aux côtés de Marc Aurèle dont je n'étais l'aîné que de quatre années, et j'avais aimé cet homme dont les pensées m'avaient souvent fait souffrir, tant elles tranchaient à vif dans l'espérance, débusquant les illusions, arrachant tous les oripeaux, laissant la vie à nu, maigre, brève et précaire.

« Souviens-toi, Priscus, m'avait-il souvent dit, que

chacun ne vit que le présent, cet instant fugitif. Ou bien le reste est déjà vécu, ou bien il est rempli d'incertitude. Toute petite est la durée de la vie de chacun, tout petit le coin de terre où il vit, toute petite aussi la plus longue gloire posthume. Et encore celle-ci n'existe-t-elle que par les relais de pygmées qui mourront très rapidement, qui ne se connaissent pas eux-mêmes, encore moins celui qui depuis longtemps est mort. »

Marc Aurèle était mort depuis trois ans et l'ombre de Commode recouvrait déjà de suie son visage et sa mémoire.

Il avait ajouté :

« Celui qu'enchante la gloire posthume n'imagine pas que chacun de ceux qui se souviendront de lui mourra lui aussi très vite, puis, à son tour, celui qui aura pris sa place ; jusqu'à ce que son souvenir s'éloigne définitivement, il passe ainsi de l'un à l'autre, flambeaux qui s'allument et puis s'éteignent. Priscus, écoute-moi, suppose immortels ceux qui se souviendront de toi, et immortel ton souvenir ; à quoi cela te sert-il ? Et je ne veux pas dire qu'au mort cela ne sert à rien : au vivant, à quoi sert la louange ? À moins sans doute qu'elle ne soit utile pour gouverner. »

Un soir, Marc Aurèle m'avait saisi le poignet, l'avait serré affectueusement, m'avait attiré contre lui pour me donner l'accolade. Son visage au nez bosselé, la moue de sa bouche accentuée par la moustache qui rejoignait son collier de barbe, m'avaient paru grisâtres. Son regard cherchait à découvrir et à atteindre un point lointain, visible de lui seul.

Il avait murmuré :

« Bientôt j'aurai tout oublié ; bientôt, tous m'auront oublié. »

Dans ma solitude de Capoue, maintenant que depuis trois ans Marc Aurèle était mort, me souvenir de cette phrase prononcée d'un ton las était pour moi une souffrance.

Je m'insurgeais contre ce fatalisme de l'oubli, cette abdication.

La mémoire pouvait garder en vie ceux qui avaient disparu.

Par son récit de la Guerre servile, mon ancêtre Gaius Fuscus Salinator avait ressuscité Spartacus et son troupeau d'esclaves en révolte.

Dans les Annales de sa vie, Serenus avait prolongé le règne de Néron et la guerre de Judée jusqu'à moi. Il me semblait, après l'avoir lu, connaître Néron, Vespasien, Titus et Domitien. Je croyais avoir assisté aux côtés de Flavius Josèphe, – ce Juif fidèle à sa foi mais qui avait trahi son peuple dressé contre nos légions – à la destruction du Temple de Jérusalem et au suicide des sicaires dans leur forteresse de Massada. J'avais connu la reine juive Bérénice.

Serenus, mon aïeul, était mort depuis plus de cent ans, mais je savais tout de lui parce qu'il s'était confié dans ses *Annales* dont, presque chaque nuit, je relisais quelques passages.

Je ne voulais plus me souvenir de ces propos de Marc Aurèle, tenus peu de mois avant sa mort, à chaque fois qu'il me voyait saisir l'un de ces livres que lui-même avait si souvent médités. Il secouait la tête, soupirait :

« Rejette ta soif de lecture, Priscus, murmurait-il. Ne vagabonde plus. Tu n'as plus le temps de relire tes notes, ni l'histoire ancienne des Romains et des Grecs. Laisse là Plutarque, Tacite ou Suétone, oublie les traités que tu réservais pour tes vieux jours. Laisse là tes livres, ne te laisse plus distraire. Va droit au but : dis adieu aux vains espoirs... »

Je m'y refusais. J'étais au contraire tenté d'écrire à mon tour pour maintenir vivant ce que j'avais connu, arracher au tombeau de l'oubli Marc Aurèle, démentir ainsi ce qu'il avait prévu et peut-être redouté.

Je voulais découvrir ce qui, dans sa vie, m'avait sans doute échappé, cette faute qu'il avait commise aux yeux des dieux et dont le règne de Commode, ce fils histrion, Néron sans démesure, constituait le châtiment.

Il me fallait ressusciter ces années passées.

Ce mot, *ressuscité*, je le murmurais avec émotion.

Je le recherchais dans les *Annales* de Serenus qui évoquait les adeptes de la nouvelle religion.

Ils croyaient à la résurrection des morts, à un dieu, Christos, crucifié mais renaissant de son tombeau, annonçant à ses disciples la Grande Nouvelle, à savoir que la mort n'était pas le terme de la vie, mais un passage vers une existence éternelle, offerte à ceux qui croiraient en lui et suivraient ses préceptes.

Serenus avait écouté les adeptes de la nouvelle foi et osé écrire, lui, citoyen romain, ami de Sénèque, vivant dans l'entourage de Néron, de Vespasien et de Titus, qu'il priait ce dieu nouveau, ce dieu unique, Père, Fils et Esprit.

À chaque fois que je relisais ces phrases et tombais sur ces mots de *ressuscité* et *résurrection*, c'était comme si mon corps était parcouru par un tremblement. Ma mémoire s'ouvrait comme une terre qui se fend.

J'avais moi aussi rencontré des disciples de Christos. J'avais été témoin de leur martyre.

Comment avais-je pu enfouir en moi leurs souffrances, le souvenir de leurs supplices ?

Et Marc Aurèle, le Sage, le Philosophe soucieux du genre humain, lui qui m'avait répété que « la bienveillance est invincible si elle est sincère, ni pincée ni hypocrite ; habitue-toi donc, Priscus, à tout ce qui te rebute ; assez de cette pitoyable existence de grogneries, de singeries ; ne sois ni tragédien ni prostitué... » – comment ce prince du Bien avait-il pu accepter que de jeunes hommes, de jeunes femmes, des vieillards fussent martyrisés pour cette foi en un dieu de résurrection ?

N'était-ce pas là sa faute, celle dont il subissait le châtiment avec le règne de ce fils, Commode, qui défigurait le sien ?

Dans cette faille qui s'ouvrait en moi, je voulais retrouver tout ce passé enseveli.

Je me suis mis à écrire, à fouiller ma mémoire. Mais à peine eus-je tracé quelques mots qu'est arrivé un courrier de Rome, porteur d'une lettre de Marcia.

J'avais connu cette jeune femme dans l'entourage de Marc Aurèle. Je gardais d'elle le souvenir de longs bras nus soulevant les voiles bleus dont sa silhouette élancée était enveloppée. Derrière elle, comme une ombre soumise, marchait Hyacinthe, un eunuque petit et gras, le visage luisant, les membres potelés. C'était la maîtresse et son chien. J'avais plusieurs fois surpris un geste de tendresse de Marcia pour cet avorton émasculé qui geignait de contentement lorsque les doigts effilés de la jeune femme effleurait sa tête ronde et chauve. On murmurait qu'ils étaient l'un et l'autre disciples de Christos, « sœur et frère », comme s'appelaient entre eux les chrétiens.

Certains, au palais, chuchotaient que, la nuit, les adeptes de cette secte se réunissaient autour de Marcia et de Hyacinthe afin de se livrer à la débauche, au crime, dévorant la chair d'un enfant qu'ils venaient de voler et d'égorger.

Avais-je cru cela ? Était-ce vrai ?

Tacite et Suétone dont les œuvres, avec celles de mes ancêtres, étaient mes livres de chevet, avaient dénoncé ces chrétiens adeptes d'une « exécrable superstition », « nouvelle et malfaisante », « coupables et dignes des pires supplices » parce qu'ils portaient en eux « la haine du genre humain ».

Marcia était même devenue le concubine de Quadratus,

l'un des neveux de Marc Aurèle et, à la mort de l'empereur, Commode se l'était appropriée le jour même des obsèques, se jetant sur elle comme un fauve affamé cependant que ses prétoriens assassinaient Quadratus.

Ainsi avait commencé le règne du fils.

Marcia s'était soumise aux vices de l'empereur débauché. Mais sa beauté étincelante, son art sans doute dans les jeux du corps, peut-être même l'attrait et le mystère que lui conférait son appartenance à la nouvelle foi lui avaient-ils évité d'être mêlée à la tourbe des putains et des pervers. Elle vivait à part dans le Palais impérial avec son chien d'eunuque, Hyacinthe.

Lorsqu'elle passait au milieu des trois cents concubines, matrones et prostituées, et des trois cents gitons, les unes et les autres choisis pour leur beauté parmi la plèbe ou la noblesse, dans les lupanars et les villas, on s'écartait et Marcia semblait ne pas les voir, ignorant celles et ceux dont les corps s'entrepénétraient devant l'empereur, lequel se repaissait de ce spectacle, exigeant les accouplements les plus pervers, s'offrant lui-même aux jeunes gens afin qu'on le sodomise.

Elle ne pouvait ignorer ce que la rumeur venue de Rome m'apportait jusqu'à Capoue. Aucune partie du corps de l'empereur, y compris la bouche, qui n'eût été souillée par le contact de l'autre sexe. Il avait violé ses propre sœurs. Mêlant la cruauté au plaisir, il avait fait ouvrir de haut en bas le ventre d'un obèse, se délectant à la vue des intestins qui s'en répandaient. Il jouissait de la souffrance ou de la mort qu'il venait d'infliger, puis saisissait à pleine main le sexe monstrueux de l'un de ses favoris qu'il avait surnommé Onos, sa verge étant plus grande que celle d'un âne, et il s'offrait à lui sous les yeux de tous, souillé du stupre de l'un et du sang de l'autre, avant de se rendre au temple habillé en femme. Là, avec une statuette, il assommait les prêtres ou bien leur tranchait les membres. Puis il se rendait dans l'amphithéâtre et révélait sa force démesurée en transperçant avec un épieu le cuir d'un éléphant ou en perçant d'un coup de lance une corne de gazelle. Pour finir, il rentrait au Palais impérial, retrouvait ses concubines et ses gitons, se faisait servir sur un large plat d'argent deux bossus nappés de moutarde qu'il décidait tout à coup de couvrir d'honneurs et de richesses, les faisant s'allonger près de lui, demandant qu'on apportât les autres plats, qu'il goûtait alors qu'il savait avoir fait mélanger des excréments humains aux mets les plus coûteux. Et il intimait à chacun des convives de se gaver de cette nourriture sous peine d'avoir un bras coupé, une jambe estropiée, un œil arraché. On l'avait déjà vu faire plusieurs fois et il riait en apercevant ceux qu'il appelait « le Pied unique » ou « l'Éborgné », récentes victimes de ses sévices.

Puis il retrouvait Marcia.

Que subissait-elle ? Comment pouvait-elle accepter que ce monstre la touchât, elle qui avait connu Marc

Aurèle, elle qui, comme son chien d'eunuque, ce Hyacinthe, était disciple de Christos, Dieu d'humilité, Dieu crucifié ?

Elle me demandait de la rejoindre à Rome.

Il m'a alors semblé que mes pensées et mes questions, ces fils que je n'arrivais pas à tisser ensemble, se nouaient enfin.

J'ai donc quitté ma demeure de Capoue. En chevauchant sur la via Appia, j'ai imaginé les six mille croix dressées sur lesquelles Crassus, selon le récit de mon aïeul Gaius Fuscus Salinator, avait fait clouer les esclaves qui avaient suivi Spartacus et qui n'avaient été épargnés sur le champ de bataille que pour mourir sur la croix.

C'était longtemps avant que Christos eût été, à Jérusalem, supplicié comme l'un de ces esclaves.

Du fond de ma mémoire, de cette faille ouverte par le mot *résurrection*, montait le souvenir d'autres corps martyrs que j'avais vus puis oubliés jusqu'à ce jour.

Ils marchaient à mes côtés lorsque je suis rentré, dans Rome par la porte Capène, puis lorsque j'ai pénétré pour la première fois depuis trois ans dans le Palais impérial où l'empereur vivait comme un gladiateur dans un lupanar et un pourceau grognant dans sa souille.

2.

Je suis resté dans la pénombre, à l'écart du grouillement des corps entrelacés au centre de la salle du palais que Commode avait transformée en taverne.

L'odeur de sueur et de stupre, les effluves de parfum douceâtres me donnaient la nausée.

J'ai vu l'empereur s'avancer parmi les corps qui s'accouplaient. Il était vêtu en femme et couvert d'une peau de lion. Tout à coup, il a brandi une massue qu'il avait dissimulée. Elle avait la forme d'une tête de chien. Il levait haut les bras, la tenant à deux mains, et il a commencé à frapper prostituées et gitons.

Il brisait les nuques, les épaules, les membres, les reins. Le sang jaillissait. Les cris aigus et les gémissements semblaient l'exciter. Il riait, frappait plus vite, plus fort, marchant à grands pas. On eût dit un boucher abattant des moutons qui tentaient de fuir, se heurtant aux prétoriens qui les rabattaient vers le tueur, l'empereur Commode, fils de Marc Aurèle.

J'ai reculé, craignant qu'il ne me vît, ne me reconnût. Mais il était tout absorbé par sa besogne. Les prétoriens poussaient à présent vers lui des estropiés, des paralytiques, leurs jambes mortes enveloppées de guenilles et de bandes de tissu. Ils portaient des masques de dragons, étaient déguisés en géants et se traînaient sur le sol, cherchant à s'éloigner de Commode qui, tel Hercule, tendait maintenant un arc, les visait, les tuait à coups de flèches, leurs cadavres tombant sur les corps nus des blessés, certains encore enlacés.

J'ai reculé à nouveau. Une main a frôlé la mienne. Une voix a chuchoté qu'on allait me conduire jusqu'à Marcia.

J'ai reconnu malgré la pénombre la silhouette ronde de Hyacinthe qui, d'un signe, m'invitait à le suivre.

Nous nous sommes enfoncés dans le palais dont je ne reconnaissais pas les salles, les couloirs, les cours. Le bâtiment semblait avoir été pillé, saccagé, laissé à l'abandon comme une tombe profanée. À chaque pas je m'indignais, je souffrais davantage, cherchant à reconnaître un lieu, à retrouver une statue, un autel.

Hyacinthe me pressait, avançait en rasant les murs, veillant à rester dans l'obscurité, s'arrêtant dès qu'il entendait des pas ou des voix, murmurant que la Bête, le Mal, l'Antéchrist régnaient en maître. La fin des temps était proche.

Il s'accrochait à moi, me forçait à me baisser, posait ses lèvres contre mon oreille, ajoutant :

– Dieu se venge, Priscus, Commode est l'amant de la Mort. Néron est revenu. Tu l'as remarqué ? Chaque nuit il viole, il mutile, il tue. Il se nourrit d'excréments.

Je l'ai repoussé. Le contact de son corps m'était insupportable.

Il s'est remis en marche.

Nous avons traversé des salles vides où le silence stagnait comme une eau noire.

– Marcia t'attend, m'a dit Hyacinthe en me montrant une porte sous laquelle glissait un rai de lumière. L'empereur ne vient jamais jusqu'ici. Il a peur. Et cette nuit, il n'a pas besoin de Marcia. Il est gorgé de sang. Il va vomir dans la bouche de son giton.

Hyacinthe a eu un rire méprisant.

– Ce Saotérus lui suffira. Ce n'est plus un homme, c'est un égout.

Il a poussé le battant et j'ai été un instant ébloui par les flammes jaunes aux reflets bleutés des nombreuses lampes accrochées aux cloisons de la grande chambre où se trouvait Marcia.

Elle était allongée, ses cuisses et ses jambes nues, des bracelets d'argent entourant ses chevilles.

Elle m'a semblé plus belle encore qu'autrefois quand je la rencontrais ici, sous le règne de Marc Aurèle. Elle avait les cheveux poudrés d'or dont elle démêlait les mèches de ses longs doigts aux ongles nacrés.

– Priscus, a-t-elle murmuré en me fixant, il faut le tuer !

Ses paupières étaient recouvertes d'un maquillage vert qui s'accordait à la couleur de ses iris.

– Sinon il me tuera et il exécutera tous ceux qui ont servi Marc Aurèle. Il anéantira Rome !

Elle avait fermé les yeux.

– Je le dompte encore. Mais je dois lui donner ce qu'il me demande. Il se repaît de moi. Je suis son morceau de chair préféré. Je me dérobe souvent pour qu'il ait faim de moi. Ainsi je le maîtrise. Il me force à me déguiser en Amazone. Sais-tu ce qu'il m'a dit, la nuit dernière ? Qu'il allait, pour montrer à la plèbe qu'il m'honorait, descendre dans l'arène vêtu en Amazone, lui, l'empereur du genre humain ! D'ailleurs il s'est déjà présenté au peuple vêtu en femme, accompagné de ce monstre, Onos, l'embrassant sur la bouche, caressant son sexe d'âne. Je sais qu'il rêve de me voir pénétrée, déchirée par lui. Mais c'est Rome qu'il veut souiller. Il veut changer le nom de la ville et l'appeler Colonie commodienne !

– Le fils de Marc Aurèle..., ai-je soupiré.

Marcia s'est redressée.

– Il n'est pas de son sang !, a-t-elle protesté d'une voix sourde.

Son front s'était ridé, sa bouche contractée, ses mâchoires serrées.

– Il faut le tuer, Priscus. Il n'est que le fils de Faustine et d'un gladiateur. Marc Aurèle aurait dû répudier, exiler, empoisonner cette épouse infidèle qui, chaque nuit...

Elle a tendu le bras, accusatrice.

– ... chaque nuit, Priscus, Faustine courait les bouges, les lupanars, les quais du Tibre à la recherche de marins, de gladiateurs, de portefaix.

Elle s'est assise, puis agenouillée. Elle s'est avancée comme une louve, jusqu'au bord du lit. Je devinais ses seins lourds sous les voiles qui ne masquaient pas son corps.

Ses lèvres étaient proches des miennes.

– Écoute-moi, Priscus, je suis celle qui sait.

Elle s'est tournée vers la porte et j'ai aperçu l'eunuque assis sur ses talons, les bras entourant ses jambes, la tête penchée comme un chien qui espère qu'on va lui jeter un os à ronger.

– J'étais le régisseur de Quadratus, est intervenu Hyacinthe. Maudit soit Commode qui l'a fait égorger ! Quadratus était avec l'empereur quand Faustine s'est présentée en larmes, les joues déchirées, prétendant qu'elle se lacérait le visage avec ses ongles tant elle souffrait.

– J'étais aux côtés de Quadratus, l'a interrompu Marcia. J'ai vu l'épouse, l'actrice arracher sa tunique et crier : « Tue-moi, Marc Aurèle, perce mon sein ! » Tu connaissais l'empereur. Tu sais que sa bonté était l'autre nom de sa lâcheté. Il a écouté Faustine lui raconter qu'elle était éprise d'un gladiateur. Elle a juré qu'elle l'avait seulement aperçu alors qu'il défilait devant elle au retour d'un combat victorieux. Depuis, elle n'avait pu l'oublier. Elle vivait dans les tourments. Elle voulait être délivrée de cette passion afin que cessât son supplice. C'est pourquoi elle demandait à son époux de la tuer : « Perce mon sein, Marc Aurèle, je ne t'ai pas trahi, mais mon esprit est possédé et je veux être délivrée... »

Marcia s'est reculée.

– Il aurait dû demander à un centurion de l'étrangler et de jeter son corps aux fauves. Mais elle savait qu'il n'oserait jamais la punir.

Elle a ricané.

– Il a consulté les astrologues, des Chaldéens. Ils avaient depuis longtemps jugé que l'empereur ne voulait pas ou n'était pas capable de punir, de frapper ses proches, comme tant d'autres de ses prédécesseurs l'avaient fait pour le bien de Rome. Ils lui ont conseillé de faire tuer le gladiateur, après quoi Faustine tremperait son sexe dans le sang de cet homme, et, ainsi mouillée, coucherait avec Marc Aurèle.

Marcia avait eu une grimace de dégoût.

– Il a accepté cela. Faustine a prétendu que sa passion s'était aussitôt évanouie.

Elle a reculé, s'est à nouveau allongée.

– Et si elle avait imaginé, avec la complicité des astrologues, de dissimuler ainsi qu'elle avait partagé sa couche, son corps avec ce gladiateur, qu'elle était grosse de son sperme ? Et s'il lui avait fallu imaginer ce stratagème pour que Marc Aurèle crût que cet enfant était né de son sang ?

Marcia a caressé ses cuisses de ses doigts écartés.

– Faustine se moquait des sages, des philosophes, des hommes sans sueur ; elle aimait ceux qui sentent la bête. Elle était plus dévergondée qu'une putain.

Elle a glissé ses doigts sous les voiles et il m'a semblé qu'elle se caressait le sexe.

– Crois-tu que Faustine était femme à renoncer à l'un de ces hommes ?, a-t-elle dit. Elle voulait seulement cacher qu'elle portait un fils adultérin, dont le père était ce gladiateur qu'elle a réussi à faire égorger par Marc Aurèle. Tu en doutes, Priscus ? Regarde Commode.

Elle s'est redressée.

– Je le vois de près. Je le renifle. Qui peut imaginer qu'il est du sang de Marc Aurèle ? L'as-tu vu dans l'amphithéâtre ? Sais-tu qu'il a tué de sa main plusieurs centaines d'animaux sauvages de races variées ? Même des éléphants ! Mais Rome manque de blé, Rome crève de faim parce qu'il se moque bien qu'on pille les approvisionnements, qu'on spécule sur le prix du grain. Il écrit pour toute réponse aux libelles qu'il reçoit : « Porte-toi bien ! » Il se moque de Rome. C'est le sexe d'Onos qui le préoccupe. Et mon corps.

J'ai murmuré :

– Pourquoi les dieux ont-ils voulu cela ? Marc Aurèle a respecté tous les rites, élevé des autels, construit des temples, accompli les sacrifices qu'ils exigent. Pourquoi les dieux l'ont-il ainsi trahi, laissant souiller son œuvre et son souvenir par son propre fils ?

Marcia a croisé les bras, fermé les yeux, puis laissé retomber son menton sur sa poitrine. Il m'a semblé qu'elle chuchotait, comme si elle récitait une prière.

– Il n'y a qu'un seul dieu, Priscus, m'a-t-elle lancé en redressant la tête.

J'ai été surpris par l'expression de son visage. Elle semblait apaisée, comme étrangère à ces lieux qu'elle paraissait découvrir autour d'elle.

– Dieu est unique, a-t-elle repris. Et ce Dieu-là, le seul, Celui qui a ressuscité, Marc Aurèle L'a persécuté en ordonnant le supplice et la mort pour ceux qui croyaient en Lui.

Elle s'est penchée vers moi, dénouant ses bras, me

tendant les mains, ouvrant ses paumes comme pour m'offrir un présent.

– Dieu n'oublie pas leurs souffrances et le sang versé, a-t-elle dit.

De nouveau, elle a baissé la tête.

– Priscus, te souviens-tu des martyrs de Lugdunum ?

3.

Je ne comprenais pas le sens du mot *martyr*.

Je répétais à voix basse ces deux syllabes en suivant Hyacinthe qui, par le dédale des couloirs, me raccompagnait jusqu'à la porte du Palais impérial.

Il m'a entendu. M'a saisi le bras. Ses doigts potelés et moites s'enfonçaient dans ma chair, collaient à ma peau. Je frissonnai de dégoût, cherchant à me dégager de la poigne de ce chien d'eunuque dont Marcia m'avait dit en me congédiant : « Il est mon frère. » Mais il s'accrochait à moi, me serrait l'épaule avec une force et une détermination inattendues.

– Tu dis *martyr*, Priscus ? Nous sommes tous prêts à le devenir, parce que nous voulons être les témoins de Dieu !

Quel dieu ?

Je sacrifiais devant les autels des dieux de Rome.

Les prêtres éventraient des poulets, égorgeaient des moutons.

Je laissais le sang du taureau qu'ils venaient d'immoler asperger mon visage et mon corps. Il m'apportait la virilité, et, vieil homme déjà, mon sexe comme un glaive rougi au feu pénétrait la jeune vulve de Doma.

J'avais acheté cette vierge, esclave d'origine phrygienne, à Lugdunum où j'avais vu dans le plein été, quand l'air immobile brûle la gorge, des dizaines de jeunes hommes, de jeunes femmes, de vieillards obstinés et courageux suppliciés dans l'amphithéâtre au pied de cette colline qui domine la capitale des Gaules.

Étaient-ils ces martyrs dont m'avait parlé Marcia ?

J'avais assisté à tant de jeux sanglants, vu tant de corps crevés à coups de javelots et de tridents, de chairs lacérées et arrachées par les griffes et les crocs des bêtes fauves que je n'avais été ni surpris, ni ému. L'homme tuait l'homme : telle était la loi.

Pourquoi ceux-là seuls auraient-ils été des martyrs et non les gladiateurs qu'on égorgeait ou les esclaves qu'on empalait ou jetait aux lions ?

Martyrs parce qu'ils clamaient leur foi en Dieu ?

Quel dieu ?

Je célébrais le culte de Rome et d'Auguste.

Dans ma bibliothèque, je déposais devant la statue de Marc Aurèle des épis de blé, des coupes remplies de fruits. L'empereur défunt était devenu pour moi – et, je le savais, pour de nombreux citoyens de l'Empire – l'un des dieux du foyer.

J'honorais aussi Cybèle dans son temple du Palatin construit aux portes mêmes du Palais impérial. Elle était la grande déesse mère qui guérissait et apportait la fertilité. Elle régnait, assise sur un monstre à gueule de lion. Autour d'elle, ses filles, les prostituées, l'invoquaient, la priaient.

Je m'étais incliné devant la pierre sacrée placée au cœur de son temple. Elle avait été rapportée de Phrygie, de cette montagne proche de Smyrne, dans la province d'Asie, où était né son culte.

Cinq galères à cinq rangs de rameurs l'avaient escortée jusqu'à Ostie, puis un cortège l'avait accompagnée jusqu'à Rome et déposée sur le Palatin.

– Quel dieu ?, s'est exclamé Hyacinthe dont les ongles se sont enfoncés dans mon épaule.

Son corps replet pesait contre ma jambe et ma hanche.

– Dieu l'Unique !, a-t-il ajouté.

Je connaissais celui des Juifs, Yaveh, dont Titus avait détruit le Temple, massacré une grande partie du peuple – et les Juifs qui avaient survécu s'étaient dispersés dans tout l'Empire comme une poignée de sable que balaie le vent.

– Christos, le dieu crucifié et ressuscité, a continué Hyacinthe d'une voix qu'il voulait étouffée, mais il était si exalté qu'elle devenait aiguë, comme un cri de souffrance.

Savait-il que le fils de Cybèle, la Grande Mère des prostituées, était un dieu de douleur que l'on avait cloué sur une croix, lui aussi, et qui avait ressuscité ?

Il m'a lâché, a brandi ses poings.

– Christos, a-t-il répété, le seul dieu, Père et Fils, Esprit, dont nous sommes les témoins, les martyrs. Marcia est ma sœur chrétienne.

– Elle est la putain de Commode.

Il a frappé ma poitrine de ses deux poings.

– Dieu la purifie, la protège et la sauve. Elle combat la Bête au nom de Christos. Elle lui livre son corps, mais c'est pour mieux vaincre avec son âme, retenir la main de Commode quand il veut persécuter nos frères et nos sœurs.

Nous sommes sortis du Palais impérial. La lumière m'a ébloui. La brise venue de la mer portait des parfums de résine.

– Toi aussi, tu marches vers Christos, mais tu ne le sais pas encore, m'a dit Hyacinthe.

Il a commencé à se diriger avec moi vers le quartier du Vélabre. Des odeurs âcres et des rumeurs de voix montaient des ruelles.

– Je demanderai à Eclectos de te rendre visite dans ta maison de Capoue et de t'enseigner, a murmuré Hyacinthe. C'est un vieil homme et le plus pieux de nos frères. Il sait tout de notre Église. Il te parlera d'elle, de notre Vierge et de Christos. Écoute-le. Tu comprendras qui nous sommes et ce qu'est notre foi. Tu prieras le Ressuscité et tu ne craindras pas le martyr.

Il s'est éloigné de quelques pas, puis est revenu vers moi.

– Accueille Eclectos comme ton père. Dieu te voit, Priscus. Le jour de la résurrection, Il se souviendra. Et cherche en toi ce que tu as voulu ignorer. Revis ce que tu as vécu en aveugle. Eclectos te guidera. Il t'ouvrira les yeux.

4.

Tout à coup, j'ai eu peur de regarder en moi et de me souvenir.

J'ai retardé mon départ pour Capoue.

Je craignais d'y rencontrer ce vieillard, ce Grec dont Hyacinthe m'avait dit qu'il avait déjà quitté Rome.

Si cet Eclectos m'obligeait à m'enfoncer dans mon passé, à explorer ce gouffre obscur peuplé de monstres, hanté de tous les êtres que j'avais vu et laissé mourir, que deviendrais-je ?

Un chrétien ? Un martyr ?

Et qu'avais-je à faire de cette foi-là, de cette mort-là ?

Que m'importait cette « superstition exécrable », cette résurrection promise par Christos, ce Dieu supplicié comme un esclave ? Ce Dieu des païens, des impies qui rejetaient les divinités de Rome et attiraient ainsi sur l'Empire la peste, les guerres, les malheurs !

Moi qui, depuis des mois, lisais et relisais les livres de mes ancêtres, Gaius Fuscus Salinator et Serenus, moi qui avais voulu comprendre les raisons de ce châtiment qui s'était abattu sur Rome avec le règne de Commode, je reculais, je ne voulais plus rien savoir.

J'étais comme ces chevaux lancés au galop et qui,

soudain, se cabrent devant le fossé à sauter, et plus rien ne peut les y contraindre.

Je rejetais et le passé et le futur.

Marc Aurèle me l'avait répété : seul existait l'instant présent, et même en ne vivant que celui-ci, encore ne fallait-il pas être dupe.

Il avait écrit :

« Au milieu de ces ténèbres, de cette fange, de ce flux si rapide de substance, du temps, du mouvement, de ce qui est en mouvement, est-il un seul objet à estimer à haut prix, un objet qui, d'une manière générale, mérite qu'on s'y intéresse ? Je n'en ai même pas l'idée. »

Je me suis terré dans ma maison du Palatin proche du Palais impérial.

Mon régisseur, Sélos, me rendait visite chaque nuit, attendant que tous les esclaves fussent endormis pour se glisser dans la chambre retirée où je vivais.

Il m'apportait du vin, des cailles, des fruits frais, des amandes, des gâteaux au miel. Il me proposait une jeune vierge, et je murmurais ces propos de Marc Aurèle :

« Méprise la chair, ce n'est que boue de sang, os, tissu de nerfs, de veines et d'artères. »

Sélos maugréait. La vie, disait-il, était un don de Dieu. Il ne fallait pas la mépriser.

J'avais affranchi, il y avait plusieurs années, ce Grec au corps noueux, aux cheveux bouclés déjà gris, qui m'accompagnait dans tous mes voyages.

Il avait été avec moi à Lugdunum, s'était assis à mes côtés sur les gradins de l'amphithéâtre quand les condamnés aux bêtes et aux supplices avaient été poussés dans l'arène.

J'avais senti qu'il était prêt à se lever et à quitter l'amphithéâtre, alors qu'autour de nous les spectateurs hurlaient leur joie, réclamaient d'autres tortures, et que j'entendais une voix lancer : « On est trop doux ! Il faut inventer des châtiments plus sévères ! Ces porcs et leurs truies sont la honte et la maladie de l'Empire ! »

J'avais posé ma main sur le genou de Sélos pour qu'il demeure en place. Je savais qu'une foule n'accepte pas de laisser vivre celui qui ne se comporte pas comme elle.

Or, sur les gradins d'un amphithéâtre, l'homme du tempérament le plus doux devient un tigre fou.

Ainsi, me remémorant tout cela, dans cette pièce sombre de ma maison du Palatin, je ne m'éloignais pas de ce gouffre creusé en moi.

J'en avais la gorge serrée et me contentais de grignoter quelques amandes, ignorant le vin et les autres mets.

Sélos me rapportait ce qu'il avait appris ou vu.

Les délateurs se faisaient de plus en plus nombreux, disait-il.

Les prétoriens arrêtaient aussitôt ceux qu'ils dénonçaient. Et Commode jouait avec ces prisonniers au médecin : il les saignait à mort à coups de bistouri, puis restait hébété, comme un ivrogne, à contempler ces corps qu'il avait tailladés, crevés, vidés.

Je sentais que Sélos m'observait, attendait que je m'indigne.

Je ne voulais que murmurer ce que Marc Aurèle m'avait appris :

« Quitter le monde des hommes, s'il y a des dieux, n'a rien de terrible ; ceux-ci ne sauraient te plonger dans le malheur. S'ils n'existent pas ou ne se soucient pas des affaires des hommes, à quoi bon vivre dans un monde vide de dieux ou exempt de providence ? »

– L'empereur a peur, murmurait Sélos. Il craint même le barbier et sa lame. Il se passe à la flamme la chevelure et la barbe de crainte de se faire égorger.

Il avait marmonné, sa bouche déformée par une expression de mépris, et j'ai su qu'il pensait comme Marcia et Hyacinthe : « Il faut le tuer. »

J'ai dévisagé mon régisseur comme si je le voyais pour la première fois.

Cet affranchi qui n'ignorait rien de ma vie, auquel je confiais mes projets, la garde de mes propriétés, le gouvernement de mes esclaves, auquel j'avais légué par testament une partie de mes biens, était-il lui aussi un adepte de la nouvelle religion ?

À penser cela, à m'en persuader, j'ai éprouvé le sentiment d'avoir été trahi.

Ces chrétiens étaient des dissimulateurs, des conspirateurs et des impies. Ils prétendaient prier un dieu de souffrance et de charité, pratiquer toutes les vertus, ils s'appelaient entre eux frères et sœurs, mais haïssaient

Commode au point de vouloir l'assassiner. Sélos me proposait de jeunes esclaves pour occuper mes nuits romaines et n'était lui-même, bien qu'affranchi, qu'un esclave à l'âme corrompue.

Ces chrétiens étaient des hommes de l'ombre aussi dangereux que des conjurés cherchant à s'emparer du pouvoir, ne se souciant en rien de la gloire de l'Empire et méprisant nos dieux.

Que Sélos fût sans doute l'un d'eux me révoltait et me désespérait, tout à la fois.

Je l'écoutais me raconter à voix basse ce qu'il avait vu, ce qu'il avait appris en écoutant les rumeurs qui naissaient et se répandaient dans Rome comme ces odeurs pestilentielles surgissant d'un cloaque en grosses bulles malodorantes.

Et je savais que ce que rapportait Sélos était vrai.

L'empereur était descendu une nouvelle fois dans l'arène. Il avait égorgé un gladiateur sans que celui-ci eût osé se défendre. Il s'était emparé des armes de cet homme et avait combattu, les épaules nues recouvertes d'une étoffe de pourpre.

Le peuple l'avait alors acclamé comme un dieu, mais Commode avait dû penser que l'on se moquait de lui, qu'on le tournait en dérision. Il avait enjoint aux soldats de la Flotte chargés du fonctionnement des vélums tendus au-dessus des gradins de massacrer la plèbe qui s'était rassemblée là afin de se protéger du soleil tout en jouissant du spectacle. Il suffit aux soldats de quelques coups de glaive pour trancher les cordages : les lourdes toiles s'étaient abattues, recouvrant en emprisonnant les spectateurs.

– J'ai entendu leurs cris, murmura Sélos.

Je les imaginais.

Sur un ordre de Commode, les soldats avaient descendu lentement les gradins, marchant sur les vélums, les crevant à coups de javelots ou de la pointe de leurs glaives, y enfonçant leurs tridents. Le sang avait teinté de rouge sombre les toiles.

La rumeur s'était alors répandue que Commode avait décidé, pour achever de châtier la plèbe moqueuse, d'incendier Rome.

Des portefaix, des marins, des délateurs, des gladiateurs avaient été rassemblés dans l'une des cours du Palais impérial, prêts à se répandre, dès qu'ils en auraient reçu l'ordre, dans les ruelles en brandissant des torches.

Mais, au beau milieu de la nuit, des prétoriens les avaient encerclés, enchaînés, battus à coups de gourdins, et les plus beaux et les plus jeunes d'entre eux avaient été poussés dans l'enceinte du palais. Commode les attendait, enveloppé dans une peau de lion, afin de les torturer.

Il assouvissait ainsi sa vengeance, car Marcia l'avait dissuadé de mettre le feu à Rome en lui offrant ces corps. Il s'était acharné tout le reste de la nuit sur les dizaines de malheureux qui ne s'étaient pas même débattus.

Au matin, les prostituées et les gitons l'avaient

sacré « prince des Gladiateurs » et Commode s'était retiré en entraînant Marcia.

– Marcia est notre sauvegarde, ajoutait Sélos.

Elle n'était que la complice de Commode, pensais-je pour ma part.

Elle partageait et flattait ses vices, parce qu'elle était la plus experte, la plus rouée, la plus servile des putains du Palais impérial. Sans doute jalouse de ses rivaux – jeunes femmes ou gitons –, elle était prête à toutes les infamies, à toutes les conjurations pour préserver sa prééminence. Et, à ces fins, elle s'était faite la prêtresse de cette nouvelle religion, de cette « superstition exécrable » dont elle se servait pour rassembler des partisans. Mais ces « frères et sœurs » n'étaient peut-être que des criminels, des corrompus, une vermine qui proliférait dans les replis du pouvoir impérial.

Je me suis souvenu des accusations et des rumeurs qui les accablaient. À cet instant, elles me paraissaient légitimes.

Peut-être en effet cette Marcia, capable de satisfaire toutes les perversités de Commode, de lui offrir des hommes à supplicier, organisait-elle avec les membres de sa secte le culte d'un dieu à tête d'âne ? Peut-être se repaissait-elle, avant les orgies, de la chair et du sang d'un enfant égorgé ? Peut-être œuvrait-elle au service des ennemis de l'Empire, les puissances de l'Orient, les Parthes ou bien les Juifs qui voulaient se venger de la destruction de leur Temple et prendre leur revanche sur l'empereur de Rome qui les avait vaincus et massacrés ?

Mais j'étais citoyen de Rome. Je n'oubliais pas les recommandations et les leçons que Marc Aurèle avait dispensées alors même que son corps s'affaiblissait, que sa peau devenait grisâtre et fripée.

Il m'avait dit :

« À chaque heure, Priscus, applique-toi de tout ton soin, en romain et virilement, à faire ce que tu as sur les bras, avec une gravité adéquate et sincère. Il faut que ton corps se tienne ferme, sans se courber. Ce que la pensée réussit à faire du visage, qu'elle maintient harmonieux et noble, il faut aussi l'exiger du corps tout entier... L'art de vivre, Priscus, ressemble davantage à la lutte qu'à la danse ; contre les coups qui tombent à l'improviste il faut rester paré et bien d'aplomb. N'oublie jamais, Julius Priscus, que tu es romain ! »

J'ai longuement fixé Sélos. Il avait acquis les droits d'un citoyen romain, mais non l'esprit.

Je l'ai forcé à baisser les yeux.

– Tu es donc toi aussi de cette secte !, ai-je murmuré. Tu as voulu retrouver les tiens, oublier que je t'ai affranchi, arraché à la condition servile, et tu pries le Dieu des esclaves !

Il s'est agenouillé devant moi, m'a pris la main.

– Maître, Christos est le Dieu de tous les hommes vertueux. Toi-même, tu es si proche de Lui...

J'ai retiré ma main d'un mouvement brusque.

– Connais-tu ce Grec, appelé Eclectos, ce chrétien ?

Sélos s'est remis à parler avec exaltation. Eclectos, dit-il, était l'un des premiers disciples de Christos. Il avait parcouru tout l'Empire, créant partout des églises. Il avait guidé vers Christos des centaines d'hommes et de femmes qui étaient devenus des frères et des sœurs.

– Il convertit à la foi en Christos tous ceux auxquels il parle.

À nouveau, Sélos m'a agrippé la main.

– Je l'ai vu, Maître. Il m'a parlé et, de ce jour, j'ai reconnu Christos comme mon Dieu.

Je l'ai repoussé avec brutalité.

– Ce Grec, cet astrologue, ce magicien m'attend à Capoue, ai-je marmonné. S'il ose me parler, je le jette aux fauves !

5.

Il m'attendait.

J'ai vu sa blanche silhouette s'avancer vers moi entre les colonnes de porphyre du portique de ma demeure de Capoue. Il s'est arrêté à quelques pas, a levé ses mains. Ses doigts étaient longs et osseux. Les manches de sa tunique, trop ample pour ce corps maigre, ont glissé et j'ai aperçu ses avant-bras décharnés.

Son visage était émacié, encadré par des cheveux gris dont les mèches se mêlaient à sa barbe. Il avait les yeux enfoncés, le regard fixe.

– Je te reconnais, Julius Priscus, m'a-t-il dit. Tu étais à Lugdunum quand mes frères et mes sœurs ont été emprisonnés. As-tu assisté à leur supplice ?

Il a fermé les yeux, baissé la tête.

– Même si tu étais assis sur les gradins de l'amphithéâtre, tu n'as pas pu les voir, tu n'as pas entendu leurs cris, leurs chants, leurs prières. Tu étais aveugle et sourd.

Il a redressé la tête, rouvert les yeux.

– Je suis ici pour te rendre la vue et l'ouïe.

J'aurais voulu lui répondre, le menacer, ordonner qu'on se saisisse de lui, qu'on le fouette et jette dehors son corps brisé, sanguinolent, afin que les chiens l'achèvent en le dépeçant.

Mais je me suis tu, incapable de proférer un mot.

– Dieu n'a pas voulu de moi, a-t-il repris. Il m'a laissé dans ce monde. Mes frères et mes sœurs ont eu la meilleure part.

Je n'aimais ni le ton de sa voix, ni la lenteur avec laquelle il s'exprimait. Il m'a semblé n'être qu'un acteur récitant sa harangue en prenant le visage et l'attitude qui convenaient.

Ce n'était qu'un histrion qui jouait au grand prêtre.

Naturellement, on applaudissait à ses roueries, à ses mensonges.

Je m'irritais de voir Sélos le regarder avec des yeux de chien soumis.

Je ne supportais pas que Doma, ma concubine, ma compagne de chaque nuit, celle que j'avais affranchie, dont j'espérais parfois qu'elle serait la mère du fils dont il m'arrivait de rêver, se tînt aux côtés d'Eclectos, admirative et apaisée, radieuse même.

Je n'acceptais pas qu'il la pervertît, en faisant d'elle l'une de ces croyantes en Christos qu'il appelait ses sœurs.

Je ne voulais pas qu'elle devînt Marcia, une putain qui refusait de s'incliner devant les dieux de Rome.

J'ai lancé avec mépris à Eclectos :

– Il est toujours facile de mourir. Tu peux rejoindre ton Dieu quand tu veux. Il suffit d'un poignard et d'un peu de courage pour s'ouvrir les veines. Au besoin, je puis te faire aider : nous avons ici des bouchers qui s'y entendent pour trancher gorges et poignets.

Puis je me suis tourné vers Doma, et d'un geste de maître, lui ai demandé de quitter la cour, de regagner le bâtiment des esclaves d'où je l'avais sortie : puisqu'elle choisissait elle aussi, comme Sélos, de croire en ce Christos, eh bien, qu'elle retrouve la paille et la boue des logements d'esclaves, proches de la porcherie ! Je l'en tirerais les nuits où l'envie me prendrait d'elle.

– Retourne avec les truies !, ai-je crié.

Elle a hésité, tout à coup désemparée, n'osant me répondre, implorant Eclectos du regard.

Il a posé sa main sur l'épaule de Doma. Ce geste, comme une prise de possession, m'a révulsé. La colère m'a envahi. J'ai hurlé que si elle ne m'obéissait pas, dans l'instant, elle subirait le sort des esclaves qui se rebellent. Flagellation ! Crucifixion !

Le Grec s'est penché vers elle. J'ai deviné que, d'une pression de la main, il l'invitait à se soumettre.

Puis il a dit, tourné vers moi :

– Que chacun demeure dans la condition où il était quand Dieu l'a appelé, telle est notre règle. Tu étais chevalier, noble, magistrat de Rome ? Reste-le ! Tu étais esclave ? Ne porte point cet état avec peine. Et celui qui est empereur, si un jour il reconnaît Dieu l'Unique, qu'il garde sa puissance et se montre cependant humble comme le plus démuni des habitants de son empire.

J'ai ricané. Il a répliqué dans un murmure en s'approchant de moi :

– Comment peux-tu nous juger, Priscus. Tu ne sais rien de nous. Veux-tu voir et entendre ?

J'ai reculé d'un pas. Eclectos souriait en me tendant les deux mains.

J'ai serré les mâchoires pour éviter que jaillisse de ma bouche, avec la force d'un torrent, ces mots que je voulais étouffer mais qui montaient en moi : « Oui, Eclectos, apprends-moi à voir et à entendre ! »

– Je vais te raconter, a-t-il dit comme s'il avait perçu les mots que je n'avais pas prononcés.

DEUXIÈME PARTIE

6.

Il a parlé et les heures se sont succédé si vite que la nuit m'a surpris comme la mort lorsqu'elle saisit l'humain.

– Je suis un vieil homme, a commencé Eclectos. Si Dieu me laisse en ce monde alors qu'il a rappelé près de Lui tant de mes frères et sœurs, c'est pour que je parle à des hommes comme toi, Julius Priscus, que je les retienne au bord du gouffre.

Il a tendu le bras, m'a effleuré la main et j'ai frissonné.

Nous étions assis l'un près de l'autre sous le portique, dans la cour intérieure de ma demeure.

Eclectos se tenait droit, adossé à une colonne de porphyre. Il souriait et me regardait fixement, semblant pourtant ne pas me voir et chercher à discerner quelque chose au-delà de moi, derrière le mur.

J'avais eu plusieurs fois déjà la tentation de me retourner pour tenter de deviner ce qu'il regardait. Je n'avais pas osé.

– Je viens d'Orient, a-t-il poursuivi. J'ai vécu dans les provinces de Bithynie et du Pont, dans celle d'Asie, en Phrygie, comme cette jeune affranchie.

Tu l'appelles Doma, n'est-ce pas ? Tu l'as menacée, punie, traitée comme si ce n'était qu'une truie.

Il a cessé de sourire. Il paraissait souffrir, des rides creusant ses joues, les yeux soudainement voilés comme s'il allait pleurer.

– Tu as employé ce mot. D'une personne, créature de Dieu, tu as nié l'humanité. Ainsi, tu caresses une truie, tu la mets dans ton lit ? Qui es-tu pour accepter cela ? Un homme ou un porc ? Serais-tu de la même espèce que l'empereur Commode ? Veux-tu que les bêtes règnent sur le genre humain ? Crois-tu que Dieu nous a faits hommes pour que nous nous conduisions ainsi, pour que nous traitions nos semblables en animaux ?

Il s'est penché vers moi.

– Respecte la volonté de Dieu, Priscus. Respecte-toi en respectant les autres !

Je restais immobile et avais cependant l'impression de me débattre pour essayer d'échapper à l'étreinte de ce Dieu que je ne reconnaissais pas mais dont Eclectos m'enveloppait, m'enlaçait, dont je ne parvenais pas à me dégager.

– Que crains-tu ?, poursuivait-t-il. Tu as peur que Doma devienne chrétienne ? En quoi cela te menace-t-il ? Ceux qui croient au Dieu unique pratiquent la bonté. Ils sont les disciples de Christos qui a pardonné à ceux qui l'ont fait souffrir. Tu as peur de la perdre ? Mais si tu ne cherches qu'une truie, tu trouveras à la remplacer avant la fin du jour. Demande à Sélos : il fera défiler devant toi le troupeau des jeunes esclaves de ta maison et tu choisiras celle qui te plaira, comme un boucher tâte le corps du mouton et prend le plus gras, celui dont la chair est aussi la plus ferme.

Il avait à nouveau souri.

– Mais peut-être veux-tu presque malgré toi une personne, et non pas seulement un corps. Peut-être Dieu est-Il déjà en toi et vois-tu en chaque humain l'image de Christos ?

Je me reculais. Je me reprochais de l'écouter sans m'insurger. Cette passivité, la fascination qu'il exerçait sur moi m'étonnaient.

Était-ce à cause de sa voix égale qui m'apaisait, ou de l'expression bienveillante et émue de son visage, ou bien de la fragilité de son corps si maigre, de l'énergie qui cependant en émanait, ou peut-être encore de tout son savoir accumulé ?

Il avait tant vécu.

Il avait été un homme encore jeune au temps de l'empereur Trajan et avait dû fuir la province de Bithynie, puis la Phrygie et se réfugier en Gaule, à Lugdunum, pour échapper aux persécutions qui frappaient les chrétiens.

– Cela t'étonne ?, a-t-il murmuré en baissant la tête, comme gêné d'avoir à parler de sa vie, des tortures qu'il avait subies, de la mort qu'il avait frôlée, de son obstination à répéter qu'il était un disciple de Christos – « *Christianus sum*, je suis chrétien ».

J'avais lu Tacite et Suétone. Honteux malgré moi, je lui confiai à mi-voix que je n'avais guère été ému de lire sous leur plume que les chrétiens étaient les adeptes d'une « superstition nouvelle et malfaisante ».

« Le mal a pris naissance en Judée, écrivait Tacite, mais il se répand ailleurs, dans la province d'Asie, en Phrygie, en Bithynie et aussi à Rome où tout ce qu'il y a d'affreux et de pervers dans le monde afflue et trouve une nombreuse clientèle. »

– Suétone et Tacite parlent du temps de Néron, dit Eclectos. Et sans doute imagines-tu que c'est sous le règne de cet Antéchrist, sous le gouvernement de la Bête, que les persécutions ont été les plus féroces. Eh bien non, Priscus ! Tes bons empereurs – Trajan le Juste, Hadrien le Grand, Antonin le Pieux, et ton modèle, Marc Aurèle le Sage et le Philosophe – ont été les plus grands persécuteurs. Parmi eux, Trajan a été le premier. Néron agissait au gré de ses accès de folie. Trajan a forgé les lois qui nous condamnaient au supplice.

Il a levé les yeux vers le ciel.

– Dieu n'a pas voulu m'accorder le privilège du martyre. Mais tu dois savoir ce qui a eu lieu lorsque Trajan le persécuteur était empereur du genre humain.

En Bithynie et dans la province du Pont, Trajan avait nommé légat impérial, Pline le Jeune, un homme talentueux, plus écrivain que magistrat.

– Tu peux être rhéteur, poète, et demeurer aussi insensible à la souffrance, à la foi, à la vérité que la lame d'un glaive, a commenté Eclectos.

Il a fermé les yeux.

– Nous étions quelques-uns à croire en Christos.

Nous représentions la semence qui annonçait le temps des moissons. On nous haïssait. On nous calomniait pour cela. Les Juifs – parmi nous, beaucoup l'avaient été – nous considéraient comme des apostats, des traîtres. Les citoyens romains nous condamnaient parce qu'à leurs yeux nous incarnions l'impiété. Nous refusions de considérer l'empereur comme un Dieu, d'honorer ses statues par des offrandes et des sacrifices. On nous pourchassait. J'ai vu autour de moi ces visages que déformait le désir de tuer : on m'a lapidé, on m'a frappé. Des groupes d'hommes parcouraient les rues à notre recherche. On nous dénonçait, on nous livrait à la justice du légat impérial. Écoute, Priscus...

Eclectos était un homme de mémoire.

Il semblait lire, les yeux clos, cette lettre que le légat impérial Pline le Jeune avait adressée à l'empereur Trajan.

Les mots venaient sur ses lèvres comme s'il avait déchiffré en lui-même le texte de la missive :

« Je me fais un devoir, Sire, d'en référer à vous sur toutes les affaires où j'ai des doutes...

« Je n'ai jamais assisté à aucun procès contre les chrétiens, aussi ne sais-je ce qu'il faut punir ou rechercher, ni jusqu'à quel point il faut aller.

« Par exemple, je ne sais s'il faut distinguer les âges ou bien si, en pareille matière, il n'y a pas de différence à faire entre la plus tendre jeunesse et l'âge mûr, s'il faut pardonner au repentir ou si celui qui a tout à fait été chrétien ne doit bénéficier en rien d'avoir cessé de l'être, si c'est le nom lui-même, abstraction faite de tout crime, ou les crimes, inséparables du nom, que l'on punit.

« En attendant, voici la règle que j'ai suivie envers ceux qui m'ont été déférés comme chrétiens.

« Je leur ai posé la question de savoir s'ils étaient chrétiens ; ceux qui l'ont avoué, je les ai interrogés une deuxième, une troisième fois en les menaçant du supplice ; ceux qui ont persisté, je les ai fait conduire à la mort. Un point en effet hors de doute pour moi, c'est que, quelle que fût la nature délictueuse ou non du fait avoué, cet entêtement, cette inflexible obstination méritaient d'être punis.

« Il y a eu quelques autres malheureux atteints de la même folie que, vu leur titre de citoyens romains, j'ai marqués pour être envoyés à Rome...

« Le crime revêtant de grandes ramifications, plusieurs espèces se sont présentées. Un libelle anonyme a été rédigé, contenant beaucoup de noms.

« Ceux qui ont nié qu'ils fussent ou qu'ils eussent été chrétiens, j'ai cru devoir les faire relâcher quand ils ont invoqué auprès de moi les dieux, qu'ils ont supplié par l'encens et le vin Votre Image que j'avais fait pour cela apporter avec les statues des divinités, et qu'en outre ils ont maudit Christos, toutes choses auxquelles, dit-on, ne peuvent être amenés par la force ceux qui sont vraiment chrétiens.

« D'autres, nommés par le dénonciateur, ont dit qu'ils étaient chrétiens, et bientôt ils ont nié qu'ils le fussent, avouant qu'ils l'avaient bien été mais assurant qu'ils avaient cessé de l'être, les uns il y a trois ans, d'autres depuis plus longtemps encore, certains il y a plus de vingt ans.

« Tous ceux-là aussi ont vénéré Votre Image et les statues des dieux, et ont maudit Christos.

« Or ils affirmaient que toute leur faute ou toute leur erreur s'était bornée à se réunir habituellement à des jours fixés, avant le lever du soleil, pour chanter entre eux alternativement un hymne à Christos comme à un dieu, et pour s'engager par serment non à tel ou tel crime, mais à ne point commettre de vols, de brigandages, d'adultères, à ne pas manquer à la foi jurée, à ne pas nier un dépôt réclamé ; que, cela fait, ils avaient coutume de se retirer, puis de se réunir à nouveau pour prendre ensemble un repas ordinaire et parfaitement innocent ; que cela même, ils avaient cessé de le faire conformément à vos ordres...

« Cela m'a fait regarder comme nécessaire de procéder à la recherche de la vérité par la torture sur deux servantes, de celles qu'on appelle diaconesses.

« Je n'ai rien trouvé qu'une superstition mauvaise, démesurée... Un grand nombre de personnes de tout âge, de toute condition, des deux sexes, sont appelées en justice ou le seront. Ce ne sont pas seulement les villes, ce sont les bourgs et les campagnes que la contagion de cette superstition a envahis. Je crois qu'on pourrait l'arrêter et y porter remède... »

Eclectos a rouvert les yeux, tendu les mains vers moi.

– Pline n'a pas de haine contre nous. Pour lui, nous

sommes les malheureux adeptes d'une folie, d'une superstition mauvaise.

Il a souri.

– Trajan l'a approuvé : « Tu as suivi la marche que tu devais », lui a-t-il répondu. Lui aussi, comme Pline, veut nous faire disparaître, « porter remède » à la contagion. Il propose le pardon comme récompense à ceux qui se repentent, qui prouvent leurs dires par des actes en adressant des supplications aux dieux de Rome, aux statues de l'empereur.

Il a secoué la tête.

– Il nous a mis hors la loi. Nous étions persécutés simplement parce que, passant devant un temple, nous ne cachions pas notre indifférence, notre refus des faux dieux. Nous ne participions pas aux fêtes données en l'honneur des divinités. Nous voulions savoir d'où parvenaient les viandes que l'on vendait sur le marché. Nous ne nous révoltions pas comme l'avaient fait les Juifs, mais Trajan, et plus tard ses successeurs, et l'empereur-philosophe Marc Aurèle nous ont persécutés, nous, les pacifiques, sans même nous haïr, avec mépris. En respectant les lois, mais avec la volonté de nous anéantir, même si nous n'étions que quelques grains d'ivraie.

Il s'est levé.

– Mais je reconnais à Trajan le mérite d'avoir rejeté les dénonciations anonymes : « En quelque genre d'accusation, il n'en faut tenir compte, car c'est là une chose d'un détestable exemple et qui n'est plus de notre temps », a-t-il stipulé.

J'ai tout à coup découvert que la nuit pleine de battements d'ailes s'engouffrait dans la cour et envahissait le portique.

J'ai vu Eclectos s'éloigner lentement, sa haute et blanche silhouette peu à peu ensevelie par l'obscurité.

J'ai craint de me retrouver seul.

J'avais déjà besoin de sa voix qui me rassurait. Elle était insensible à la peur. Elle exprimait une certitude qu'aucune menace, aucun supplice, même la mort, ne pourraient briser.

Je l'ai rejoint. J'ai balbutié.

Peut-être ai-je alors prononcé les mots *ressuscité* et *résurrection.* J'étais à l'âge où l'on sent la mort aux aguets, prête à bondir, et chaque jour est un pas qui rapproche de l'embuscade.

On n'est plus fauve, on devient proie.

Sans doute n'avais-je pas parlé assez fort, ou bien Eclectos n'a-t-il pas voulu entendre mon angoisse, mon désespoir.

– Tes yeux vont commencer à s'ouvrir, m'a-t-il dit. En m'écoutant, si tu souhaites encore le faire...

J'ai incliné plusieurs fois la tête.

– Priscus, sache que c'est la voix de mes frères et de mes sœurs suppliciés que je vais te faire entendre. Dieu donne à nos voix leur force. Puis, tu vas découvrir comment nous vivions. Souviens-toi de la lettre de Pline. Elle ne nous reproche que le crime de ne pas croire en des dieux de pierre, ou en cet empereur qui se veut divinité. C'est pour cela qu'on nous traque, qu'on nous persécute, alors qu'on laisse les Juifs honorer leur Dieu, alors même qu'ils ont pris plusieurs fois les armes contre Rome. Nous, nous nous soumettons à toutes les lois de l'Empire, hormis celles qui nous obligeraient à désobéir au Dieu unique. Voilà notre seul crime ! C'est pour lui qu'on nous calomnie, qu'on nous accuse d'organiser des orgies, des meurtres d'enfants, d'être affamés de chair humaine. Nous ! Pline connaissait la vérité. Il rapporte la parole de nos frères et sœurs. Les chrétiens prêchent la bonté et la vertu, non le crime, le vol ou l'adultère. Nous voulons un corps et une âme sans tache, parce qu'ils sont à l'image de ceux de Christos.

– Marcia ?, ai-je murmuré.

– Christos a tendu la main à la femme en proie aux démons. Comme elle, Marcia sera sauvée par Dieu. Elle reste une âme pure, même quand elle se vautre dans la fange de l'empereur Commode. Elle n'oublie pas ses frères et sœurs. Et nous prions pour elle.

Il m'a serré le poignet.

– Je prie pour toi, Julius Priscus.

7.

Les mots d'Eclectos m'ont hanté et j'ai rôdé dans la nuit, espérant finir par les oublier.

Qu'avais-je à faire de ses prières et de son Dieu ?

J'ai parcouru les pièces obscures de ma demeure. Parfois, j'ai heurté le corps accroupi d'un esclave que je réveillais, qui se courbait devant moi, que j'écartais d'un geste brusque.

Je pensais à Doma. Je l'imaginais couchée dans l'un de ces bouges où s'entassaient quatre ou cinq esclaves dans la promiscuité des bêtes. J'en voulais au Grec d'être la cause de ma colère contre Doma. Je regrettais de l'avoir chassée de ma chambre, renvoyée dans le bâtiment aux esclaves.

J'enrageais : « Maudite soit cette secte nouvelle et infâme, cette superstition barbare qui prétend que son Dieu a ressuscité, et qui dispense cet espoir à ses fidèles ! Si je tranche la gorge d'Eclectos, qui pourra croire que sa plaie se refermera et qu'il renaîtra comme s'il n'avait perdu aucune goutte de sang ? »

Cette nuit-là, j'étais si perturbé et emporté contre moi que j'ai songé à égorger ce devin, ce magicien, cet astrologue qui avait lancé sur moi ses mots comme ces filets avec lesquels on capture les fauves.

J'étais ce fauve-là. J'avais chassé aux confins du désert, en Égypte et en Judée, et je pouvais imaginer les esclaves avançant, torches à la main, battant du tambour et des cymbales pour affoler, paralyser, empêcher leur proie de fuir.

Et à la fin, quand elle serait empêtrée dans les mailles de ce piège, ils la jetteraient dans leur propre cage.

Tel était le projet d'Eclectos : il voulait faire de moi un de ses captifs, un adepte de sa secte.

Mais je n'étais pas un esclave comme l'avaient été Doma et Sélos, ni une putain comme Marcia !

J'étais Julius Priscus, citoyen de Rome, chevalier qui avait servi les empereurs Hadrien le Grand, Antonin le Pieux, Marc Aurèle le Sage, et qui souffrait de finir sa vie sous le règne de Commode le Fou.

Je suis entré dans ma bibliothèque.

Les deux lampes placées de part et d'autre de la statue de Marc Aurèle éclairaient faiblement la pièce. Je me suis immobilisé devant la sculpture.

J'ai invoqué les divinités éternelles de Rome, tous ces dieux venus des provinces de la République, puis de l'Empire, dont on célébrait le culte dans les temples romains. Car nous voulions non seulement faire entrer cent peuples dans l'Empire, mais aussi honorer leurs dieux.

Comment donc accepter un Dieu qui se prétendait

unique, que ce fût celui des Juifs ou celui de leurs bâtards, les disciples de Christos ?

Ceux-là, issus de la même lignée, restaient à l'écart. Ils étaient le poison, l'infâme superstition qui ébranlaient l'ordre des dieux de Rome.

Titus avait détruit le Temple de Jérusalem. Tâche rude mais facile. Mais comment saisir ces grains dispersés et cachés, tous ces chrétiens qui se pliaient aux lois hormis à celle qui les obligeait à célébrer le culte des divinités et de l'empereur ?

Je me suis incliné devant la statue de Marc Aurèle. Il m'a semblé entendre sa voix me répéter :

« Tu reconnais enfin, Julius Priscus, après tant d'erreurs, que tu n'as pu nulle part trouver le bonheur : ni dans la rhétorique, ni dans la richesse, ni dans la gloire, ni dans la jouissance. Nulle part, Priscus ! Où se trouve-t-il donc ? À faire ce que réclame la nature de l'homme ! »

J'ai eu un geste de colère, la tentation de renverser la statue et de disperser les offrandes, le blé et la jarre de vin !

Pour la première fois, j'avais le sentiment que ces mots entendus si souvent, prononcés avec gravité par Marc Aurèle, résonnaient comme une outre vide.

Atteindre le bonheur en faisant ce que réclame la nature de l'homme ? Et si elle me pousse à tuer ? À prendre contre moi le corps d'une jeune esclave afin de le plier à tous mes désirs ?

N'était-ce pas ce que faisait aussi Commode ?

J'ai quitté la bibliothèque. J'ai marché vers le bâtiment aux esclaves. Les chiens ont aboyé, puis sont venus me frôler.

J'ai marché sur des pavés glissants, couverts de fange, de fientes et de détritus. Je me suis enfoncé dans des ornières. La boue a rejailli sur mes jambes et ma tunique.

Ici grouillaient la vermine, les bêtes, les esclaves.

J'ai aperçu des lueurs dans une étroite cour qu'encadraient les bâtiments, ces grosses masses sombres d'où s'échappaient des soupirs, des râles de plaisir.

Des corps s'accouplaient dans la nuit et j'ai envié le désir qui les unissait alors que j'étais devenu une terre aride où ne coulait plus le flot impétueux de la passion.

J'ai deviné dans la cour des corps assis à même le sol, épaule contre épaule. Des lampes à huile, des torches avaient été posées ou fichées dans le sol tout autour du cercle que formaient la dizaine d'individus rassemblés là.

Eclectos se tenait au centre. Il avait les bras levés, la tête baissée, le menton calé contre la poitrine. Je suis resté à l'entrée de la cour, écoutant la mélopée qui s'élevait, dont les accents m'enveloppaient.

Ce chant était lui aussi comme les mots d'Eclectos : un filet qu'on lançait sur moi et qui m'entravait. Il me fallait le déchirer avant d'être immobilisé, capturé. J'ai fait quelques pas en avant.

Ils m'ont entendu et plusieurs d'entre eux se sont tournés vers moi.

J'ai reconnu Doma et Sélos, mes affranchis, ainsi que plusieurs esclaves.

Leur visage apaisé et souriant m'a révolté.

Ils n'avaient plus peur de moi. Je n'étais plus leur maître.

Ils imaginaient peut-être que j'allais m'agenouiller parmi eux et prier avec Eclectos, chanter, louer Christos ?

Je me suis avancé. J'ai empoigné Doma par les cheveux, la forçant à se redresser. Je l'ai tirée vers moi.

Eclectos a levé la tête.

– Qui es-tu, Priscus, a-t-il dit d'une voix calme. Homme ou criminel ?

J'ai continué d'entraîner Doma comme on fait d'une proie, d'un gibier qu'on vient de capturer et que déjà, la salive emplissant la bouche, on s'imagine savourer.

8.

Cette nuit-là, j'avais de mon côté la force et le droit, puisque Doma était ma propriété, mon affranchie, ma concubine.

Elle ne s'était à aucun moment débattue. Elle ne m'avait pas imploré. Elle n'avait pas geint alors que je la tirais par les cheveux à les arracher.

Personne parmi ceux qui étaient assis près d'elle dans la cour n'avait eu un geste pour m'empêcher d'agir.

J'en avais éprouvé un sentiment d'orgueil et de toute-puissance.

J'étais toujours Julius Priscus, citoyen romain, et leur maître. Leur Christos n'y pouvait rien. C'était un dieu esclave pour les esclaves, pour les Grecs et autres peuples que nos légions avaient vaincus.

Je m'étais arrêté sur le seuil de la cour en considérant Eclectos avec mépris.

J'avais contraint Doma à s'agenouiller, pesant sur sa nuque sans pour autant lâcher ses mèches que j'avais empoignées.

Elle avait obéi et je n'avais lu dans ses yeux aucune révolte, mais l'acceptation de ce que je lui imposais.

Elle était bien mon esclave affranchie, mon animal parlant. Qu'elle fût disciple de Christos n'y changeait rien.

Quoi qu'en pensât Eclectos, j'étais homme parce que j'étais libre citoyen de Rome, et eux, comme les Juifs, malgré leur Dieu unique, valaient moins que des bêtes.

J'ai pensé cela. J'ai même été tenté, pour affirmer ma légitime domination, d'exiger de Sélos qu'il fouette Doma, ici, dans cette cour, pour mon plaisir et pour la punir d'avoir parlé, sans que je l'y aie autorisée, à Eclectos.

J'étais sûr que Sélos exécuterait mes ordres.

– Je suis homme parce que je suis le maître romain, ai-je lancé à Eclectos en quittant la cour.

Il n'a pas répondu, mais, levant la tête, il s'est remis à psalmodier, et tous autour de lui ont répété ses prières, cette mélopée, avec, m'a-t-il semblé, encore plus de ferveur.

Je les ai méprisés pour dissimuler ainsi leur lâcheté, leur soumission. Leur superstition était bien celle d'esclaves. Leur Christos n'était qu'un vaincu. Un homme flagellé, insulté, condamné, crucifié, pouvait-il être Dieu ou fils de Dieu ?

Et la *résurrection*, ce mot qui me faisait trembler, n'était qu'une fable pour consoler de leur soumission, de leur destin servile, ces hommes sans courage et sans gloire.

J'ai aussi pensé cela.

Et même à revenir sur mes pas, à immoler Doma, à jeter son corps au milieu de ses frères et sœurs, et à leur crier : « Qu'elle ressuscite, puisque telle est votre croyance ! »

Ce n'a été qu'une tentation.

Je me suis donc éloigné, traînant et poussant Doma.

À chaque fois que ma main touchait sa peau, effleurait ses seins, mon désir devenait plus âpre. C'était comme si j'avais eu envie de la blesser, de la mordre, comme si la fureur de la posséder se fût emparée de mon corps.

J'avais hâte d'atteindre ma chambre, de la renverser sur le lit et d'assouvir ma faim de son jeune corps.

Jamais celui-ci ne m'avait lassé. Il avait ranimé le mien, me donnant l'illusion que j'étais encore à l'âge viril.

Animé par cette impatience, j'ai traversé les pièces de ma demeure, bousculant les esclaves qui s'écartaient, effrayés, ou bien se précipitaient pour me précéder, m'éclairer, ouvrir les portes.

En entrant dans ma chambre, j'ai crié que je voulais du vin – du vin grec de Lesbos et de l'italien de Falerne. Qu'on apportât aussi de la viande et des fromages, des fruits et du miel.

Voilà ce que réclamait ma nature d'homme.

J'ai ordonné à Doma de se dévêtir. Elle n'a pas bougé, debout près du lit. Je me suis approché. J'ai répété ce que j'attendais d'elle. Elle était à moi ; elle devait se montrer obéissante, soumise comme une chienne.

– Tu n'es que cela.

J'ai serré mes doigts sur sa nuque pour la contraindre à ployer la tête, à cesser de chercher mes yeux de son regard doux et triste, mais résolu.

Je l'ai prise par les épaules, l'ai secouée, ai menacé de la livrer à la justice comme chrétienne. Elle serait torturée à moins qu'elle ne renonce à sa superstition et ne supplie les divinités, l'empereur-dieu. Je la dénoncerais aussi comme une affranchie qui refusait de servir celui qui restait son maître. Je l'accuserais d'impiété et de rébellion. Elle n'échapperait pas au supplice.

Soudain, elle a posé ses mains sur mes épaules.

Elle était plus petite que moi, si bien qu'elle devait lever la tête pour me regarder.

J'en fus si surpris et troublé, sentant aussi ses seins contre ma poitrine, que je ne l'ai ni repoussée ni renversée sur le lit comme j'en avais eu l'intention.

– Tu es malheureux, Maître, a-t-elle murmuré. Ce n'est pas toi qui agis, qui me tires les cheveux, qui veux que je ne sois qu'une bête ; c'est ton malheur, ta souffrance. Tu crois les chasser de toi en les lâchant contre moi. Tu n'en seras que plus malheureux encore.

Ses mains ont glissé sur ma poitrine. Il m'a semblé que je sentais son sang battre au bout de ses doigts ; c'était comme s'il se mêlait au mien.

– Exprime le meilleur de ce que tu es, Maître, a-t-elle murmuré. Sois la douceur de l'homme, et non la colère de l'animal.

J'ai commencé malgré moi à trembler. L'émotion m'empoignait, me serrait la gorge.

C'était comme si un vent tournoyant m'emportait, soufflant dans des directions opposées, mais à chaque fois me ployant, m'entraînant dans la violence, la colère, le mépris, ou, au contraire, m'insufflant le désir d'être un de ces hommes qui priaient ce Dieu de faiblesse et de souffrance.

J'étais fendu par le mitan.

– Je prie Christos pour toi, a dit Doma. Nous prions tous pour toi, Eclectos nous l'a demandé.

Je me suis caché le visage dans mes paumes.

J'ai demandé à Doma de s'éloigner, de rejoindre la chambre que je lui avais attribuée, non loin de la mienne, et non de retourner parmi les esclaves.

– Je reste avec toi, a-t-elle répondu.

9.

J'avais froid comme si j'avais été nu, le corps fouetté par un vent glacial.

Je me sentais démuni alors que j'avais cru posséder et la force et le droit de soumettre le corps de Doma, d'en disposer à ma guise, de l'humilier, de la battre, de la violer.

J'avais cru être le Maître.

Et, soudain, ce filet qui m'avait emprisonné, le murmure de sa prière qui me liait et me bouleversait tout à la fois.

Et j'étais là, assis sur le rebord du lit, cachant mon visage, comprimant mes yeux avec mes paumes pour tenter de contenir les larmes qui en coulaient et me couvraient de honte.

Je ne voulais pas que Doma les vît.

Elle était en face de moi, agenouillée, les doigts croisés devant ses lèvres, et sa voix, sa prière étaient comme une eau bienfaisante quand on a soif.

Ma gorge était aussi sèche que ce jour où, chevauchant à la tête de la Xe légion, je m'étais engagé dans un défilé, me heurtant après plusieurs heures de route à une falaise infranchissable. Derrière nous, l'armée des Quades, que nous poursuivions depuis les rives du Danube, était brusquement apparue, nous fermant toute issue, contrôlant les crêtes, faisant dévaler sur nous des blocs de roche, empoisonnant ou bouchant toutes les sources.

Et la soif nous étouffait.

Tout à coup, ç'avait été l'orage, la foudre avait éclaté autour de nous, la nuit s'était abattue en plein jour, des trombes d'eau et de grêle inondant nos visages, emplissant nos casques, nos boucliers, nos outres. Et nous avions plongé nos bouches dans cette eau salvatrice.

Avec Marc Aurèle, les tribuns, les centurions, les prêtres, nous avions remercié Jupiter de nous avoir ainsi abreuvés et revigorés. Nous nous étions élancés contre les Quades et les avions vaincus.

Avant de quitter ce défilé, Marc Aurèle avait tendu les mains vers le ciel : « Jupiter !, avait-il dit. J'élève vers toi ces mains qui n'ont jamais fait couler le sang injustement. » Et il avait décrété que la légion ainsi distinguée par le maître des Dieux, élue par la foudre, se nommerait *Fulminata*.

J'avais été indigné lorsque des centurions m'avaient rapporté que, pour ce miracle, des soldats, agenouillés, avaient remercié un autre dieu, Christos, un dieu juif, qu'ils avaient prié, prétendaient-ils, lorsque la soif les dévorait. Ce Christos, ce Dieu unique, les avait entendus, ajoutaient-ils marquant par les éclats de Sa foudre qu'Il choisissait, en ce monde, Rome contre les Quades, l'Empire contre les Barbares.

J'avais rapporté ces propos à l'empereur et il avait voulu connaître ces impies qui osaient refuser d'honorer Jupiter le bienfaiteur et invoquaient leur Dieu de superstition.

Ces quelques hommes aux regards brillants et fixes n'avaient pas renié leur foi. Ils avaient répété qu'ils avaient prié Christos et que celui-ci s'était montré l'allié de l'empereur. Pouvait-on les châtier d'avoir, grâce à leur foi et à leur Dieu, rendu la victoire possible ?

Ils étaient fiers, presque arrogants. L'un d'eux avait même dit : « Nous vous avons sauvés ! »

Marc Aurèle avait hésité, se tournant vers moi, puis il avait ordonné que ces hommes fussent flagellés mais laissés en vie, puisqu'ils avaient vaillamment combattus.

Les centurions avaient commencé à leur lier les mains, à les forcer à s'agenouiller devant nous, à frapper leurs dos nus. Après quelques coups qui avaient déjà entaillé leur peau, Marc Aurèle avait interrompu le supplice :

« Ils ont combattu et nous sommes victorieux. Les dieux sont magnanimes », avait-il expliqué.

Plus tard, rentré à Rome, j'avais appris que les disciples de Christos invoquaient le miracle dont avait bénéficié cette légion *Fulminata* pour solliciter la clémence des tribunaux et échapper au supplice. Ils avaient même répandu une fausse lettre de Marc Aurèle dans laquelle l'empereur, prétendaient-ils, rappelait les faits et défendait qu'on poursuivît d'office les chrétiens.

J'avais été indigné par leur prétention, leur mensonge.

Ils n'étaient que des magiciens et des imposteurs. J'avais incité Marc Aurèle à les punir durement en condamnant à la condition servile dans les mines de plomb, ou en vouant aux combats dans l'arène ces adeptes d'une superstition orientale que même les Juifs dénonçaient.

Ils connaissaient bien ces apostats de leur foi hébraïque, les accusant d'impiété, de trahison, de banquets orgiaques et criminels. Et quant à la résurrection de leur Christos, elle n'était que subterfuge : les disciples de ce Dieu avaient volé le corps supplicié et l'avaient enseveli en Galilée.

Que les Romains sévissent ! Qu'ils châtient cette secte de serpents qui s'infiltraient jusque dans l'entourage de l'empereur !

Comme la pluie d'orage miraculeuse qui m'avait désaltéré dans le pays des Quades et avait sauvé notre légion, la prière de Doma apaisait les brûlures de ma gorge mais me laissait pantelant de remords.

J'avais, moi, Julius Priscus, jusqu'à cette nuit, effacé de ma mémoire ce prodige de la foudre et de la pluie, et mon rôle de persécuteur auprès de l'empereur Marc Aurèle.

J'avais oublié ces flagellations, mon désir de voir punir, vouer à la mort, en fait, les chrétiens qui avaient demandé à leur Dieu d'aider Rome à vaincre !

J'étais non pas l'homme puissant que j'avais imaginé au début de la nuit, tirant Doma par les cheveux, mais un être déchiré, tourmenté, essayant de maîtriser les sanglots qui lui obstruaient la poitrine.

Moi, Julius Priscus, j'avais le sentiment d'avoir été frappé par la foudre.

Trois esclaves sont entrés, portant des plateaux chargés de coupelles de miel, de vasques de fruits, de cruches de vin, de plats de viande et de fromage.

Doma a cessé de prier et le silence m'a oppressé. J'ai chassé les esclaves et murmuré, penché vers Doma :

« Prie pour moi. »

Elle s'est levée, approchée. Elle a pris ma tête entre ses mains et l'a appuyée contre son ventre.

Là, le sang de la vie battait. Sa cadence sourde et profonde m'envahit.

« Je prie, Maître, je prie. »

Son murmure à nouveau m'a recouvert comme une eau miraculeuse.

10.

La nuit s'était enfin ouverte sur le jour et la lumière m'avait réveillé, ébloui.

J'étais seul, allongé sur mon lit.

Je ne me souvenais pas de m'être dévêtu, et cependant j'étais nu.

J'ai eu honte de m'être laissé engloutir dans le gouffre noir du sommeil.

J'ai imaginé Doma me repoussant, me faisant glisser sur le lit tout en me soutenant, ouvrant ma tunique, passant ses bras sous mon dos pour me faire basculer afin de pouvoir me la retirer.

J'avais dû soupirer, peut-être geindre. J'avais été aussi dépendant, aussi impuissant qu'un enfant ou un vieillard.

Pour moi elle avait été mère et fille, et j'ai eu envie de crier, de pleurer pour qu'elle s'approche à nouveau, pose ses mains sur ma nuque, presse mon visage, ma bouche contre son ventre, me redonne à entendre cette pulsation, ce sang qui battait en elle, dont j'avais eu l'impression qu'il entrait en moi, qu'il m'irriguait, m'apaisait, me berçait.

Je m'étais endormi ainsi.

Elle avait disposé de moi. Elle aurait pu me tuer. Elle m'avait vu désarmé. Elle avait mesuré mon désarroi, mon émotion, ma faiblesse.

J'étais pourtant son maître par la force et le droit.

Je l'avais achetée en jetant quelques pièces à un marchand d'esclaves de Lugdunum après qu'il m'eut vanté cette jeune vierge, une Phrygienne.

« Elles sont toutes filles de Cybèle, m'avait-il dit. Expertes et rouées dès qu'elles sont nées. Regarde celle-ci ! »

Il avait écarté les cuisses de l'esclave, enfoncé ses doigts dans la vulve. Il m'avait invité à l'imiter pour constater que personne ne l'avait déflorée. Puis il avait glissé son majeur dans la bouche de la jeune fille, lui retroussant les lèvres, me montrant qu'elle avait une dentition complète et régulière.

Je n'avais pas discuté le prix et avais signifié à Sélos qu'il prît soin d'elle.

Elle était en effet vierge et âpre comme un citron vert ou une orange amère.

J'avais aimé cela, moi, le Maître par la force et le droit. Et j'avais fait d'elle, que j'avais nommée Doma, ma concubine.

Puis je l'avais affranchie.

Mais je venais, cette nuit, de me livrer à elle.

J'avais voulu qu'elle fût docile comme une chienne craintive. Et c'est moi qui avais geint, qu'elle avait dominé.

Elle avait été ma maîtresse, et moi, aussi servile qu'un esclave domestique. J'avais accepté qu'elle prie son Dieu, et son murmure m'avait apaisé.

Elle était peut-être l'une de ces magiciennes, de ces empoisonneuses, de ces prêtresses des religions d'Orient qui, par leur regard, les mouvements de leurs bras, leurs déhanchements, les mixtures versées dans le vin qu'elles offrent, la puissance des divinités qu'elles invoquent et servent, font de tous ceux qui les approchent des esclaves ?

Elle m'avait vu à genoux devant elle. Peut-être m'avait-elle fait boire ?

Je me souvenais que trois esclaves avaient apporté des cruches, des fruits, du miel, de la viande, du fromage, mais ces coupelles, ces verres, ces vasques, ces plats avaient disparu.

Sur la table basse que j'apercevais dans la partie encore plongée dans la pénombre de ma chambre, je ne voyais que mes vêtements, ma tunique pliés.

Doma avait dû appeler les esclaves pour qu'ils emportassent les victuailles et le vin.

Eux aussi m'avaient vu nu, et c'était elle qui avait donné les ordres, elle qui régnait, et moi qui n'étais plus qu'un maître sans défense.

Un Romain pouvait-il laisser vivre des esclaves, et, parmi eux, une concubine, fût-elle affranchie, qui avaient découvert la faiblesse, l'impuissance de leur maître ?

Un chien qui a compris qu'il peut sauter à la gorge d'un homme, le renverser, ses deux pattes lui griffant le torse et les épaules, est une bête qu'il faut tenir enchaînée ou abattre, ou bien employer à chasser les esclaves en fuite.

Que devais-je faire de Doma la chrétienne ?

Je pouvais la dénoncer, la livrer en compagnie de cet Eclectos qui avait dû la convertir. Les autres esclaves, Sélos le premier, auraient à nouveau craint ma puissance alors que, sans doute, ils chuchotaient déjà entre eux, répétant que le Maître s'était agenouillé devant Doma, que la jeune chrétienne avait prié pour lui, qu'elle lui avait fait reconnaître la force de Christos, qu'elle le possédait, donc.

J'ai crié.

Les esclaves se sont précipités dans la chambre. Il m'a semblé qu'ils se montraient plus empressés qu'à l'habitude, presque joyeux, comme s'ils jouaient à me servir, laissant ainsi entendre qu'ils ne me craignaient plus, qu'ils agissaient avec l'entrain d'hommes libres, me lançant des regards qui me paraissaient ironiques, pleins de défi.

J'ai saisi l'un d'eux par le cou et l'ai serré à la saignée de mon bras. Il ne s'est pas débattu et sa passivité, sa soumission, son silence ont déchaîné ma colère. J'aurais voulu qu'il demandât grâce, mais il a persisté à se taire.

Je l'ai contraint, alors qu'il suffoquait, à s'agenouiller, et je ne l'ai plus lâché.

Brusquement, alors que j'étais penché sur lui, que je l'insultais, je me suis souvenu de l'empereur

Commode étranglant ainsi dans la pénombre de son palais deux de ses prostitués.

J'ai rouvert mon bras. L'esclave s'est affaissé.

J'ai hurlé :

« Lève-toi, va-t-en ! Sortez tous ! »

Ses compagnons l'ont soulevé. Il titubait, la tête ballante.

J'ai fermé les yeux.

Qu'étais-je devenu, moi qui voulais m'inspirer de la sagesse de l'empereur-philosophe, de mon maître Marc Aurèle ? Moi qui avais répété ses pensées jusqu'à les faire miennes ?

J'ai murmuré :

« Qu'est donc mon âme raisonnable ? Que fais-je d'elle actuellement ? À quoi me sert-elle en ce moment ? N'est-elle pas vide de pensées ? Ne s'est-elle pas affranchie et séparée de la société ? N'est-elle pas fondue et mélangée dans la chair, qu'elle en subit les changements ? »

J'étais comme un homme ivre qui ne sait où s'appuyer, roulant comme un navire au gré des vagues. J'en avais la nausée. Mais c'était moi-même que j'aurais voulu vomir.

Je suis sorti de la chambre.

J'ai marché dans la lumière blanche du soleil qui avait inondé la cour intérieure.

Sur le muret, assis entre deux colonnes de porphyre, j'ai aperçu Eclectos. Il avait posé ses deux mains sur la tête de Doma. Elle appuyait son front contre les genoux du vieil homme.

Il a tourné le visage vers moi. J'ai vu ses lèvres murmurer quelques mots. Sans doute a-t-il averti Doma de ma présence.

Elle s'est levée, m'a regardé, puis a baissé la tête. Il m'a semblé qu'elle me souriait avec bienveillance, tendresse, et j'ai été tenté de m'élancer vers elle, de l'enlacer, de solliciter son pardon, de lui exprimer ma gratitude. Mais je l'ai laissée s'éloigner.

J'étais un navire démâté dont le gouvernail et les rames sont brisées.

Je me suis approché d'Eclectos.

J'aurais pu le secouer en le prenant par les épaules, le déraciner comme un vieux tronc gris, le faire jeter au feu parce que ce chrétien prêchait la rébellion, avait corrompu mes esclaves, qu'il était le complice de Hyacinthe et de Marcia, la putain de Commode.

Dans le même temps, je sentais monter en moi le désir d'imiter Doma, de m'agenouiller devant Eclectos, de lui confier ce que je ressentais, de lui décrire cette nausée que j'éprouvais, ce balancement entre fureur, désir de contraindre et de tuer, et besoin de trouver la quiétude, l'apaisement. J'avais l'intuition que s'approchait le moment où je devrais choisir entre ces deux parties de moi, ces deux appels entre lesquels j'étais écartelé.

Eclectos m'a fait signe de m'asseoir à ses côtés sur le muret.

« Il n'est pas facile, Julius Priscus, de rejeter l'animal hors de soi », a-t-il murmuré.

Il a posé sa main aux longs doigts osseux sur ma cuisse.

« Je sais que tu as commencé à le faire, cette nuit. »

J'ai senti la pression de sa main.

« Tu as renoncé à la chair. Tu te crois affaibli alors que tu es devenu plus fort. »

Il a fermé les yeux, et, au bout d'un long silence, a ajouté :

« Christos, notre Dieu, l'Éternel, l'Unique, a renoncé à la guerre des corps pour remporter la victoire des âmes. Les Juifs, eux, se sont rebellés et ils sont morts dans leur Temple détruit, leur pays dévasté. Nous, chrétiens, avons accepté le supplice, la croix, le feu, les bêtes fauves, et Christos a souffert et est mort le premier, mais Il est ressuscité. C'est le destin de chacun de nous qui croyons en Lui, c'est l'histoire de notre Église. »

Il s'est penché :

« Écoute-moi, Julius Priscus. »

11.

Eclectos m'a dit :

« Tous les monstres nous ont haïs, nous autres chrétiens, c'est donc que nous sommes le vrai et le juste. »

Sa main, toujours posée sur ma cuisse, me transmettait les vibrations de sa voix.

J'ai en somme écouté Eclectos avec ma peau, et avant même que je comprenne le sens des mots qu'il prononçait, ils étaient en moi.

« Tu sais combien d'entre nous périrent durant le règne de la Bête, de l'Antéchrist, de Néron. Suétone, qui ne nous aime pas, raconte comment, dans les jardins de l'empereur, après l'incendie de Rome, nos frères et sœurs sont devenus des torches vivantes, crucifiés, flambeaux de chair pour éclairer les jeux que l'Antéchrist offrait à la plèbe. Puis sont venus Vespasien et Titus, et ils ont massacré le peuple juif qui s'était insurgé, je te l'ai déjà dit et tu le savais... »

Il a soupiré :

« J'ai connu Flavius Josèphe qui a raconté les souffrances de son peuple qu'il avait abandonné pour devenir le conseiller, le courtisan, l'ami de Vespasien et de Titus. Juif il était resté, ayant trahi les siens et survécu à leur destruction ou à leur dispersion pour transmettre leur foi. Et il était écouté. Des proches de l'empereur Titus adoptèrent la vie juive.

Penché sur moi, Eclectos s'est mis à parler plus bas comme pour me confier un secret :

« Juifs, chrétiens..., a-t-il murmuré ; la chrysalide se déchire pour que naisse le papillon. Les Juifs ont voulu nous retenir. Ils ont livré Christos aux Romains. Et ceux-ci ont détruit le Temple et la ville de Jérusalem. Et là même où Christos avait été crucifié, ils ont dressé une forêt de croix pour supplicier les Juifs. »

Ses doigts se sont crispés sur ma cuisse.

« Mais Juifs, chrétiens, nous sommes issus de la même fleur, de la même espèce ; les monstres nous ont frappés les uns et les autres, et parfois se sont servis des uns pour persécuter les autres... »

Il s'était appuyé à la colonne de porphyre. J'ai examiné son visage qui m'est apparu tourmenté, douloureux, creusé de rides, émacié, même ; sa barbe, mêlée aux mèches de ses cheveux, ne dissimulait pas les creux sous les pommettes qui, saillantes, semblaient sur le point de crever la peau.

« Nous autres chrétiens ne nous sommes jamais rebellés, nous avons accepté le martyre, nous avons chanté pendant qu'on nous clouait, nous fouettait, nous brûlait, et ce refus de nous battre comme des gladiateurs, notre acceptation de la mort ont déchaîné contre nous tous les monstres. Après Néron, le plus méchant qui ait existé fut Domitien. »

Eclectos a laissé son menton retomber sur sa poitrine.

« Je l'ai vu, puisque Dieu a voulu que je côtoie tous les empereurs jusqu'à ce monstre d'aujourd'hui, cette bête qui a resurgi, ce Commode qui est le fils authentique de tous les monstres depuis Néron, Domitien. Celui-ci... »

Il a secoué la tête et a repris :

« ... celui-ci, un jeune homme souriant qui paraissait paisible, qui se promenait seul en méditant, puis qui, après avoir ainsi marché durant des heures dans les jardins du Palais impérial, ordonnait d'une voix apaisée, sans jamais cesser de sourire, que l'on tuât son neveu, Flavius Clemens, coupable seulement d'avoir été désigné par un crieur qui avait commis un lapsus, l'ayant nommé imperator et non pas consul ! Domitien tenait à assister aux supplices. Il se penchait sur les victimes, observait leur visage, et d'un geste demandait au bourreau d'enfoncer davantage la lame rougie au feu. Il semblait jouir des gémissements, des grimaces de douleur. Lorsqu'il s'agissait d'un chrétien, il lui murmurait : "Tu vas ressusciter, remercie-moi de te conduire vers la Vie éternelle..." »

J'aurai voulu l'interrompre : pourquoi Christos laissait-Il ainsi persécuter les siens ? Pourquoi laissait-Il proliférer comme des herbes malfaisantes ces hommes monstres, qu'ils fussent empereurs ou bourreaux ?

Mais je me suis tu. Mon corps n'était-il pas une sorte de grotte où se terrait un animal féroce, celui que je voulais débusquer, vomir, mais dont je craignais qu'il ne fût encore là, ayant choisi de s'enfoncer au plus profond de moi ? Il me semblait que je distinguais dans l'obscurité de mon corps ces deux points ardents, les yeux du monstre, comme l'envers de mon propre regard.

« Les délateurs, a repris Eclectos, les provocateurs se pressaient autour de Domitien. Ils lui fournissaient chaque jour des listes de coupables, accompagnés des noms de leurs accusateurs rémunérés pour calomnier. Si tu avais vu le visage de Domitien, tu aurais su ce qu'est le monstre maléfique qui peut habiter en nous. Il entrouvrait sa bouche, passait le bout de sa langue sur ses lèvres, choisissait quelques noms, puis se dirigeait vers la salle des tortures où déjà les bourreaux s'apprêtaient, diligents, inventifs, soucieux de satisfaire les instincts pervers du monstre. Il a ainsi fait supplicier ses oncles, ses cousins, Flavius Sabinus et le fils de celui-ci, Flavius Clemens, des hommes qui marchaient vers Christos et refusaient de répandre le sang. Sais-tu qu'il suffisait de ne point se rendre à l'amphithéâtre – celui qu'avait fait construire Titus, ce Colisée où se pressaient des dizaines de milliers de spectateurs – pour paraître suspect et être dénoncé comme disciple de Christos ? Accusé d'être impie et lâche parce qu'on refusait d'acclamer les gladiateurs, les bêtes féroces auxquelles on livrait chaque jour des dizaines de corps pantelants ? »

Eclectos m'a tout à coup serré les poignets.

« Comment un homme peut-il se repaître de la

souffrance et du sang d'autrui ? Comment la cruauté, le plaisir de donner la mort peuvent-ils être regardés comme des vertus ? Et le dégoût qu'inspirent ces supplices, ces jeux dans l'amphithéâtre, jugés comme une manifestation de lâcheté et d'impiété ? »

La pression de ses doigts, qui m'emprisonnaient comme des bracelets, s'est faite plus forte.

« Comment toi, Julius Priscus, peux-tu accepter de prier ces dieux de Rome qui ne sont que des statues de pierre qu'on dresse et qu'on honore, auxquelles il faut sacrifier et qui ne sont que des idoles barbares justifiant les carnages, les supplices ordonnés et perpétrés par ces empereurs monstrueux, leurs légions, leurs délateurs ? Celui qui ne s'oppose pas à ces actes cruels est complice du Mal. »

J'ai osé enfin le questionner :

« Faut-il tuer l'empereur-monstre, Eclectos ? Faut-il crever son corps avec une lame, faire souffrir l'homme qu'il est, voir jaillir son sang ? Est-ce cela que tu suggères, est-ce ce à quoi tu m'invites, comme Marcia et Hyacinthe l'ont déjà fait ? Faut-il tuer les tueurs et devenir ainsi l'un d'eux ?

– Christos n'a pas saisi le glaive, Julius Priscus. Il a prié. Il a pardonné à ceux qui l'ont crucifié.

– Et les monstres continuent de régner, Eclectos !

– Chasse d'abord celui qui se cache dans ton corps et dans les replis de ton âme. Rejoins Christos, Julius. Prie notre Dieu. Et tu trouveras le chemin ! »

12.

J'ai longuement erré avant de trouver ma route.

Lorsque, à la nuit tombée, Eclectos s'éloignait après avoir effleuré mon front du bout de ses doigts, je me sentais désemparé.

Je ne voulais pas le suivre, l'entendre prêcher sa foi aux esclaves dont j'étais le Maître. Je ne pouvais imaginer de m'asseoir parmi eux, aux côtés de Sélos et de Doma, de réciter des prières pour honorer ce dieu Christos auquel, malgré le trouble qu'il causait en moi, je me refusais à croire.

Comment penser qu'il n'ait existé qu'un Dieu unique alors que j'avais vu dresser dans les villes de toutes les provinces de l'Empire les statues de dieux innombrables que chaque peuple vénérait ?

Pourquoi aurai-je dû les rejeter alors qu'ils présidaient depuis les origines aux destins de nos nations, et d'abord à la République et à l'empire de Rome qui avaient eu la sagesse de les rassembler tous, de tous les honorer, à l'exception de celui qui risquait d'exclure tous les autres, le Dieu des Juifs et celui des chrétiens qui, comme l'avait reconnu Eclectos, étaient issus d'un peuple unique aujourd'hui divisé ?

Je laissais donc Eclectos s'éloigner et restais seul sous le portique.

J'avais froid. Je marchais. Je suivais des yeux les silhouettes des jeunes esclaves qui passaient de pièce en pièce pour allumer les lampes placées de part et d'autre des divinités du foyer.

Étais-je encore capable de croire en leur pouvoir, en leur protection ?

J'entrais dans ma bibliothèque. Les lampes éclairaient la statue de Marc Aurèle. Je baissais la tête, mais ne priais plus.

Je voyais seulement la statue d'un homme sage, d'un empereur-philosophe qui n'avait lui-même jamais exigé qu'on l'appelât Dieu, comme l'avait fait Domitien, ce « Néron chauve » dont Eclectos m'avait rappelé qu'il voulait que chacune des lettres qu'il dictait fût précédée par cette phrase : « *Dominus et Deus noster*. Notre maître et notre Dieu ordonne ce qui suit... »

Marc Aurèle n'était pas Dieu, je l'admettais.

Mais je m'emportais contre Eclectos, ce magicien grec, ce vieux rhétoricien, ce pédagogue savant qui cherchait même à me convaincre que mon maître n'avait été ni sage, ni philosophe, mais un persécuteur, lui aussi, à l'instar de Néron, Domitien, Trajan, Hadrien, ou Antonin dit pourtant le Pieux.

Et j'en voulais à Eclectos d'avoir entrepris de saccager mes certitudes.

Je regrettais le temps de mes dialogues avec Marc Aurèle.

L'empereur m'avait convaincu que ni le monde ni l'âme humaine ne pouvaient être changés.

Le sage était celui qui, ayant admis cela, n'ajoutait pas à la cruauté de la nature et au désordre des choses humaines, mais se préparait à subir sans protester ce que l'une et l'autre lui imposeraient.

Presque chaque jour Marc Aurèle m'avait répété l'une des pensées d'Épictète, son maître en philosophie et en sagesse, cet homme que Domitien avait chassé de Rome, et qui avait dit :

« Supporte et abstiens-toi. Douleur, tu ne me feras pas convenir que tu es un mal. Les délateurs et les accusateurs peuvent bien me condamner comme ils ont condamné Socrate. Mais ils ne peuvent me nuire. »

Je passais dans ma chambre.

Mon âme n'était que décombres. Je tâtonnais parmi eux. Pourquoi supporter et s'abstenir ? Épictète me paraissait aussi fou que ce Christos de conseiller la soumission !

Pourquoi souffrir ?

Je devinais sous leurs voiles les corps des jeunes esclaves qui s'affairaient dans la chambre, préparaient mon lit, disposaient sur la table basse des carafes de vin de Grèce et des vasques débordantes de fruits.

C'était la vie. Pourquoi la refuser ?

J'avais soif. Ma peau frissonnait au souvenir des caresses que les esclaves me prodiguaient.

Je claquais mes mains.

Qu'on me serve à boire ! Qu'on masse mon corps !

« Toi, allonge-toi près de moi ! Que tes seins et ton ventre, tes bras, tes mains, ta bouche fassent revivre ma jeunesse ! Le jour est proche où je ne serai plus que cendres. Souffle sur les braises afin que la flamme jaillisse encore ! »

J'ai crié de plaisir et de douleur mêlés.

13.

J'ai baissé les yeux.

J'avais retrouvé Eclectos assis à la même place, sur le muret, entre les colonnes de porphyre, dans la même lumière blanche du soleil matinal.

La nuit m'avait semblé n'avoir été qu'un bref et intense cauchemar.

Ma jouissance s'était si vite dérobée que j'avais eu la tentation, pour la faire renaître, de frapper, d'humilier, de torturer le corps de la jeune esclave afin que de sa souffrance naquirent pour moi une émotion, une vibration, un désir soutenu.

Je m'étais repris.

J'avais repoussé au fond de moi le monstre qui venait de montrer sa gueule, ses dents et ses griffes. Mais je n'avais pu m'endormir et j'avais marché dans l'herbe mouillée de l'aube jusqu'au lever du soleil.

Eclectos était déjà là, dans la cour intérieure.

Il m'a d'abord fixé en silence, le visage douloureux, les yeux emplis de compassion.

Je n'ai pu supporter son regard et ai donc baissé les yeux.

Il a posé une main sur mon épaule.

Elle ne pèse pas. Elle ne cherche pas à m'attirer à lui. Et cependant je me courbe. Des mots inattendus qui lui appartiennent, dont il a, les jours précédents, émaillés ses propos, me montent à la gorge.

Ils m'étouffent et je les murmure.

– Jusqu'à quand cela durera-t-il ? Quand viendra l'heure de la moisson ?

– Le monde a perdu sa jeunesse, les temps commencent à vieillir, répond-il. Dieu s'approche. Christos va revenir !

Je recule. La main d'Eclectos glisse le long de mon bras. Il a senti que je refuse encore sa croyance, sa promesse.

– Je sais ce que tu penses, Julius Priscus, me dit-il. D'autres que toi l'ont pensé et même écrit. Moi aussi j'ai joué avec ces idées-là comme avec des dés. Je les ai lancés, je les connais, regarde-les : si tu ne les affrontes pas, tu ne trouveras pas ton chemin.

Sa voix s'est faite plus grave ; il a psalmodié :

« "Ô terre, qu'as-tu fait en donnant naissance à tant d'êtres destinés à la perdition ? Qu'il eût mieux valu que la conscience ne nous fût pas donnée, puisqu'elle n'aboutit qu'à nous faire torturer ! Que l'humanité pleure, que les bêtes se réjouissent : la condition de ces dernières est préférable à la nôtre ; elles n'attendent pas le jugement, elles n'ont pas de supplice à craindre, après la mort il n'existe plus rien pour elles. À quoi nous sert la vie, si nous lui devons un avenir de tourments ? Mieux vaudrait le néant que la perspective du jugement.” Tout homme qui s’interroge, un jour prononce ces phrases. Tu les as pensées, Priscus. Elles germent naturellement en nous. Mais elles ne peuvent recevoir qu’une seule réponse. »

Il pose à nouveau la main sur mon épaule. Mais, cette fois, ses doigts s’agrippent à ma chair, s’y enfoncent.

« Julius Priscus, dit-il en détachant chaque mot, ce n’est pas Dieu qui a voulu la perte de l’homme. Ce sont les hommes formés de Ses mains qui ont souillé le nom de Celui qui les a faits, qui ont été ingrats envers Celui qui leur a donné la vie. »

Il se penche vers moi, m’attire à lui.

« Tout homme, fût-il empereur, qui a humilié, frappé, tué un autre homme, qui a ordonné supplices et tortures, a souillé le nom de Dieu parce que chaque homme est sacré. L’esclave comme le maître. Et c’est pourquoi Christos n’a pas prêché la révolte : pour ne pas tuer une part de Dieu en tuant l’homme, fût-il bourreau.

– Et si ce bourreau se proclame Dieu, s’il massacre tes frères et tes sœurs, ceux qui croient en Christos, tu n’appelleras pas à son châtiment ?

– Il le porte en lui, murmure Eclectos. Il vit dans la crainte. Il sait qu’on le guette. Qu’on le maudit. Qu’on attend sa mort. Il ne trouve plus le sommeil. Il entend à chaque instant le bruit des glaives et des poignards que l’on sort des fourreaux. La mort ne le quitte jamais. Voilà son châtiment ? Ce fut celui de Domitien. »

14.

« Tout le monde souffrait », a murmuré Eclectos.

Il a fermé les yeux, rejeté la tête en arrière, l'appuyant à la colonne de porphyre puis, après un silence, il a pris une longue inspiration et s'est remis à raconter :

« Domitien, le "Néron chauve", était emporté par une rage sombre, réfléchie. On eût dit une hyène s'acharnant sur les cadavres de ceux qui refusaient d'être des fauves, de devenir des délateurs, qu'il faisait supplicier et dont il suivait l'agonie. Il pourchassait les chrétiens, mes frères et mes sœurs. Il disait que nous étions les ennemis des dieux, des empereurs, des lois, des mœurs, de la nature toute entière. Il persécutait aussi les Juifs. Pour lui, Juifs et chrétiens étaient des impies, puisque nous refusions de célébrer les dieux de Rome. Mais c'est nous, chrétiens, qu'il faisait d'abord rechercher, jeter aux bêtes. Il assistait au carnage, vêtu en femme, dans sa loge impériale buvait jusqu'à l'ivresse, s'offrait à ses amants, souvent des gladiateurs, qui le sodomisaient au vu de tous. Et cet empereur prétendait être Dieu, exigeait de recevoir les honneurs divins ! Chaque jour, le chemin du Capitole était encombré de troupeaux qu'on menait à sa statue pour y être immolés. Et le sang de ces bêtes se mêlait à celui des humains. On l'a vu plonger ses mains dans la blessure d'un gladiateur qui agonisait, les lever, rougies, et les essuyer à la chevelure du mourant comme pour se venger du fait qu'il n'était qu'un "Néron chauve". Il faisait égorger ceux dont il pensait qu'ils se moquaient de sa calvitie, ou bien de son corps devenu difforme avec son ventre énorme, ses jambes grêles, comme si, au fur et à mesure que sa perversité et sa cruauté se révélaient, son apparence changeait. Il interrogeait le malheureux dont on tenaillait les chairs, qu'on brûlait à la lame rougie au feu : "Ne vois-tu pas combien je suis beau et grand, moi aussi ?" Il ajoutait parfois : "Sache qu'il n'y a rien de plus ignoble que la beauté !" Puis, d'un mot, il demandait au bourreau d'enfoncer la lame plus profond et disait : "Il n'y a rien non plus de plus éphémère : la beauté est comme la vie !" »

Eclectos s'est interrompu et a croisé les mains sur sa poitrine, respirant bruyamment, reprenant son souffle.

« La crainte de perdre la vie déformait le visage de Domitien, de cette bête, la plus cruelle que Rome ait connue. Il savait par ses délateurs que plus il tuait de chrétiens, des hommes justes, plus le nombre des Romains qui croyaient en Christos, le Dieu unique, notre Souverain éternel, augmentait. Qui pouvait penser en effet que ce "Néron chauve" était un Dieu ? On s'inclinait devant sa statue, mais on méprisait, on haïssait l'homme-hyène qu'elle représentait. On s'écartait même de ces divinités auxquelles Domitien sacrifiait des milliers d'animaux, ces troupeaux qui encombraient le chemin du Capitole, ou ces centaines d'hommes qu'il faisait combattre dans l'amphithéâtre et qu'on laissait se vider de leur sang comme des moutons ou des taureaux égorgés. »

Eclectos a brandi le poing.

« Julius Priscus, comment ne vois-tu pas qu'il n'y a qu'un seul dieu, Christos, le Ressuscité, et que les divinités de Rome ne sont que des morceaux de pierre sculptée, l'occasion, pour le Mal qui se cache en l'homme, de frapper, de faire souffrir d'autres hommes au nom de ces dieux, de cet empereur qui se prétend divin ? »

Il a rouvert ses mains, m'a tendu ses paumes.

« Alors, autour de ceux qui prêchaient la foi en Christos, les Romains se sont rassemblés malgré les périls et les délateurs de Domitien. Mais comment se protéger d'un empereur qui livrait aux bêtes un homme surpris à lire l'ouvrage de Suétone parce que l'historien y avait fait figurer une vie de Caligula et que, Domitien le savait, on le comparait à cet empereur fou ?

– Je lis Suétone, ai-je murmuré.

– Christos seul peut sauver les hommes du Mal, a repris Eclectos. Au temps où régnait la Bête chauve, des Juifs, des citoyens de Rome l'ont compris. Ils ont écouté celui qui dirigeait notre Église, l'évêque Clément. Celui-ci ne se cachait pas ; il prêchait aux yeux de tous. Mais Domitien, averti par ses délateurs, n'a pas osé ordonner sa mort. Il a redoublé de cruauté à l'égard des plus humbles des chrétiens. Cependant, le martyre d'un chrétien faisait naître de nouveaux croyants. C'était comme si chaque décision, chaque crime de Domitien apportaient à notre foi de nouveaux adeptes. Il avait exigé de chaque juif, de chaque circoncis qu'il payât le *fiscus judaicus*. On a ainsi vu un agent du fisc, assisté de nombreux soldats, examiner un vieillard de quatre-vingt-dix ans pour vérifier s'il n'était pas circoncis ! La persécution s'est même abattue sur tous ceux qui menaient une “vie juive”, qu'ils fussent ou non circoncis. Les chirurgiens qui pratiquaient la circoncision étaient punis de mort. Tout citoyen romain qui se faisait circoncire était exilé, ses biens confisqués... »

Eclectos s'est à nouveau penché vers moi.

« De nombreux Juifs sont venus à Christos parce que notre Dieu n'exige pas que l'on mutile son corps. Tout homme devient chrétien s'il donne son âme à Dieu, et Christos n'a nul besoin de la peau du prépuce pour reconnaître ses enfants. Tout homme peut choisir d'embrasser la foi chrétienne. La cruelle folie de Domitien a fait découvrir Christos à des Romains qui n'auraient jamais entendu la voix de Clément, notre évêque d'alors. Ils entendirent ses prêches, découvrirent que les chrétiens ne voulaient ni le désordre, ni la rébellion, ni la mort de l'empereur : « Les grands ne peuvent exister sans les petits, ni les petits sans les grands », disait Clément. Et je le répète à mon tour, Priscus ! »

Mains jointes, Eclectos a pris un ton solennel :

« Je dis : “Que chacun soit donc soumis à son prochain suivant l’ordre où il a été placé par la grâce de Christos ! Que le fort ne néglige pas le faible, que le faible respecte le fort ; que le riche soit généreux envers le pauvre, et que le pauvre remercie Dieu de lui avoir donné quelqu’un pour subvenir à ses besoins !”

– Le maître doit rester le maître, ai-je murmuré. Et l’esclave, soumis. Soit. Mais l’empereur, fût-il cette bête cruelle, ce “Néron chauve”, aurait été placé à la tête du genre humain par Dieu ? Je ne comprends plus, Eclectos... »

Eclectos a rouvert les yeux et m’a longuement fixé.

« Dieu choisit, a-t-il dit. Et l’homme doit respecter la décision de Dieu. Elle est juste, même si les raisons de Dieu demeurent obscures à l’homme. »

Je me suis insurgé contre cette soumission qui, cependant, m’attirait. Il me semblait qu’elle me dispenserait la paix.

J’ai dit :

« Tu me demandes de prier un Dieu de mystère alors que je voudrais un Dieu de lumière.

– La lumière vient de ce qu’il y a la nuit, a murmuré Eclectos. Fais confiance à Dieu pour t’éclairer quand le moment sera venu. Personne ne Lui échappe. Domitien eut beau user de tous les stratagèmes, consulter les astrologues, interpréter les présages, tenter de se concilier toutes les divinités en multipliant les sacrifices, un jour l’intendant de l’impératrice,

Stéphanus, a demandé à être reçu pour révéler un complot visant à tuer l'empereur. Depuis plusieurs jours, Stéphanus s'était présenté au palais avec le bras gauche bandé par suite, prétendait-il, d'une blessure. Mais entre les bandages et la peau il avait glissé un poignard. Il s'est jeté sur Domitien, le frappant au bas-ventre. L'empereur s'est défendu en hurlant, tentant d'extraire la lame de son corps, se tailladant ainsi les doigts, cherchant cependant à agripper Stéphanus, à lui crever les yeux. Le sang de ses phalanges déchiquetées a maculé le visage de son assassin. Des gladiateurs se sont précipités et ont achevé l'empereur en le frappant à sept reprises. Il était dans sa quarante cinquième année et dans la quinzième de son principat. »

Eclectos a ajouté en se levant :

« Domitien a été châtié. Dieu ne l'avait pas exigé, mais Il a laissé la liberté aux hommes de choisir. Ils ont tué le "Néron chauve". Ils ont pris le risque d'être condamnés par Dieu. Mais Celui-ci jugera. Il est juste. Il est le Dieu du pardon, Celui qui comprend les mobiles et les désirs humains. Il ne les excuse pas, mais les jauge. Il est le Dieu de compassion. »

Eclectos m'a empoigné le bras et a poursuivi :

« Après Domitien sont venus Nerva et Trajan. Je t'ai déjà parlé de ce dernier empereur : tu te souviens de Trajan le persécuteur ? Des chrétiens et des Juifs humiliés, suppliciés, ont annoncé la fin du règne des idoles de pierre. Écoute cette *Apocalypse*, Julius

Priscus ; les hommes y font parler l'envoyé de Dieu qui s'adresse à cet Empire qui s'étend sur tout le genre humain : "Tu as gouverné le monde par la terreur et non par la vérité. Tu as écrasé les hommes doux, tu as persécuté les gens paisibles, tu as haï les justes, tu as aimé les menteurs, tu as humilié les murailles de ceux qui ne t'avaient fait aucun mal. Tes violences sont montées jusqu'au trône de l'Éternel, et ton orgueil est venu jusqu'au Tout-Puissant. Le Très Haut a consulté alors Sa table des temps et a vu que la mesure était pleine, que Son moment était venu. C'est pourquoi tu vas disparaître, toi, ô aigle, et tes ailes horribles et tes ailerons maudits et tes têtes perverses et tes ongles détestables, et tout ton corps sinistre, afin que la Terre respire, qu'elle se ranime, délivrée de la tyrannie, et qu'elle recommence à espérer en la justice et en la pitié de Celui qui l'a faite." »

J'ai dégagé mon bras et me suis écarté d'Eclectos. Je l'ai laissé s'éloigner mais, au bout de quelques pas, il s'est arrêté, s'est retourné.

S'il n'avait été ce vieillard si maigre qu'il en paraissait nu, décharné comme un arbre mort, je l'aurai défié.

J'étais citoyen de Rome. J'avais parcouru plusieurs provinces de l'Empire. J'avais longé les rives du Danube et du Rhin. J'avais vu briller, sur l'île de Pharos, la tour qui éclairait la mer et le port d'Alexandrie. Rien de plus grand, de plus ordonné n'existait, de par le monde connu, que l'empire de Rome. Cruel, il l'était ! Mais quel homme était seulement vertueux et soucieux du bien des autres ?

Domitien avait été un « Néron chauve », un monstre, et Commode l'était à son tour. Mais Rome renaissait avec chaque nouvel empereur. Qui, dans le genre humain, pouvait la condamner ? la vaincre ?

J'étais fier d'être romain en dépit de tous les crimes qui ensanglantaient Rome et les provinces de l'Empire.

J'étais fier de l'emblème de Rome, cette aigle que les légions avaient portée jusqu'aux extrémités du monde. Et le glaive, le javelot, la lance de chaque centurion, de chaque soldat de Rome étaient l'ongle, la serre de l'aigle enfoncée dans les terres conquises en Occident, en Orient, de Lugdunum à Alexandrie, du Rhin et du Danube jusqu'au Jourdain et à l'Euphrate.

J'ai fait un pas vers Eclectos et lui ai montré le poing.

« L'aigle déploie encore ses ailes sur tout le genre humain, ai-je objecté. Ta foi, vieillard grec, ne peut détruire l'empire de Rome ! »

Eclectos a souri.

« Aucun chrétien ne souhaite combattre Rome. J'ai voulu te faire entendre non pas la parole de Dieu, ni même celle d'un chrétien, mais les propos d'un juif, qui sonnent fort. Mais il ne nomme pas Christos ; il évoque les murailles du Temple, celles que Titus a démantelées. »

Je me suis senti à cet instant tribun, centurion, légat, soldat de Titus.

« Juifs, chrétiens, la chrysalide, le papillon... j'ai bien retenu ce que tu m'as dit. Vous êtes issus du même peuple, celui qui croit au Dieu unique. S'il est l'ennemi de Rome, alors nos empereurs persécuteurs, et même le "Néron chauve", et jusqu'à Commode, cette bête nouvelle, ne font que défendre le bien qu'ils ont reçu en héritage. Ils le doivent !

– Tu ne sais rien encore des Juifs et des chrétiens », a marmonné Eclectos.

Il s'est rapproché de moi.

« Nous avons reconnu en Christos le fils de Dieu, Son messie et Son incarnation. Les Juifs ont rejeté notre foi. Ils sont restés aveugles. Ils ont choisi de brandir le glaive contre Rome. Ils ont combattu Vespasien et Titus, Trajan et Hadrien. Nous, disciples de Christos, nous n'avons nul besoin de la guerre pour vaincre et illuminer les âmes. Nous ne sommes plus des Juifs, Priscus ! »

15.

J'ai voulu connaître quel avait été le sort des Juifs depuis que leur Temple et leur Ville sacrée avaient été incendiés puis détruits par Titus, fils et héritier de l'empereur Vespasien.

J'ai interrogé Eclectos mais, pour la première fois, je l'ai senti hésitant, partagé, parfois emporté par une fureur haineuse : « Les Juifs, m'a-t-il d'abord dit, ce sont nos pères et nos mères ; nous sommes tous issus de ce même peuple, celui du Dieu unique. » Puis, au lieu de les honorer, il les accablait : leurs prêtres avaient refusé de reconnaître en Christos le fils de Dieu ; ils l'avaient livré aux Romains, exigeant du procurateur qu'il le condamnât à la crucifixion ; ils avaient affirmé que le corps supplicié de Christos avait été dérobé par ses disciples qui l'avaient enseveli en Galilée, puis avaient répandu le mensonge de la résurrection afin de séduire et convertir les âmes les plus faibles, celles que la mort effrayaient... « Voilà ce qu'ont osé prétendre les Juifs ! », a-t-il conclu.

Il ajouta que Dieu les avait abandonnés afin de les châtier pour leur trahison.

« Il se sont précipités dans la guerre contre Rome, aveuglés par leur passion, leur orgueil. Lis ce qu'écrit l'un d'eux, Flavius Josèphe. Il a raconté la guerre en Judée. Il avait compris que Dieu avait laissé Son peuple marcher vers la destruction, et il avait donc choisi Rome. »

Eclectos a secoué la tête et ajouté :

« Flavius Josèphe était resté juif. Dieu n'a pas élu Rome, mais ceux qui croient en Lui ! »

Je ne comprenais pas ce Dieu qui avait d'abord choisi le peuple juif, puis s'était séparé de lui, le laissant s'enfoncer dans l'erreur, s'engager dans la guerre contre Rome comme s'il avait été à même de vaincre la plus grande armée du genre humain ! Et ce peuple s'était obstiné.

J'avais relu le récit de la guerre de Judée qu'avait rédigé mon aïeul, Serenus, puis découvert parmi ses manuscrits les œuvres de Flavius Josèphe. Les Juifs, même après la destruction de leur Temple et de Jérusalem, après le suicide des derniers combattants de cette guerre à Massada, n'avaient pas abdiqué. On les avait persécutés et humiliés sous Domitien, sous Trajan, sous Hadrien et même durant le règne d'Antonin le Pieux. On se moquait de leurs croyances, de leur refus de consommer du porc, de travailler le samedi afin de pouvoir consacrer ce jour à la gloire de leur Dieu. On les insultait, les traitait de mendiants, de pourceaux. « Pour quelque menue monnaie, les Juifs vous vendent toutes les chimères du monde », avait écrit Juvénal.

Ils étaient des « circoncis », et ce rite était propice

aux plaisanteries les plus salaces. « Qu'ils paient pour ce bout de peau qu'on leur tranche », avais-je lu sous la plume de Juvénal ou de Martial.

Malgré la haine et le mépris, ils n'en restaient pas moins fidèles à leur foi.

Comme les chrétiens à la leur.

Je ne cessais de m'interroger : pourquoi ces deux croyances ne se confondaient-elles pas, puisqu'elles étaient issues du même peuple, du même Dieu ?

Était-ce seulement parce que les uns refusaient de reconnaître Christos comme le Messie, ou bien parce que les Juifs, plus téméraires, plus orgueilleux, rejetés par Dieu, déclarait Eclectos, s'étaient lancés tête la première contre les légions de Rome et s'y étaient fracassés ?

Sous le règne de Trajan, ils avaient attaqué les garnisons de Cyrène, d'Égypte, de Chypre, et s'étaient alliés aux Parthes contre Rome. Et le général Lusius Quiétus avait égorgé, crucifié des milliers d'entre eux. Le sang juif avait coulé d'un bout à l'autre de l'Orient. Pour affirmer la puissance de Rome, l'empereur Hadrien avait décidé d'élever à Jérusalem un temple à Jupiter Capitolin et de nommer la ville nouvelle Ælia Capitolina. Il avait fait dresser sa statue équestre là où s'élevait le temple de Yavhé. Et les Juifs à nouveau avaient pris les armes, leur chef Simon Bar Kochba rassemblant ses combattants dans les monts de Judée, autour de la citadelle de Béthar.

Et ç'avait été la défaite, Bar Kochba décapité, ce

qui restait du peuple juif se dispersant dans tout l'Empire comme s'il fallait que rien ne restât en Judée et en Galilée, comme si Dieu avait voulu ainsi marquer son désamour pour le peuple qu'Il avait élu et qui avait refusé de reconnaître son fils Christos.

Telle était l'explication que me donna Eclectos. Elle ne me satisfaisait pas.

Quel était le dessein de ce Dieu unique ? Voulait-il éprouver les hommes ? les soumettre, comme faisait un empereur avec ses peuples ? Aussi cruel qu'un Néron ou un Domitien ou encore un Commode, puisqu'Il les faisait s'entretuer comme des gladiateurs dans une arène ?

Je ne savais que conclure.

Ce Dieu était-il vraiment différent des divinités qui présidaient depuis le début de son histoire au destin de Rome ?

Je méditais. Je lisais, enfermé dans ma bibliothèque, ne la quittant qu'au milieu de la nuit.

Je demandais alors à Sélos qu'il m'envoyât une esclave.

Je ne regardais même pas le visage de la jeune femme. Que m'importaient ses traits ?

Je m'allongeais. J'exigeais. Je guidais ses mains, sa bouche, sa langue.

Mais le plaisir et la jouissance étaient lents à venir. Et quand ils survenaient, ils n'effaçaient pas cette incertitude mêlée d'amertume et ce doute irritant qui m'habitaient.

Je renvoyais l'esclave. Je restais seul.

Peut-être Dieu voulait-Il que l'on renonçât à la force, à la possession, au plaisir, à la guerre ?

Peut-être fallait-il suivre l'exemple de Christos, offrir son dos aux fouets plombés des soldats de Rome, accepter que son front saignât, blessé par la couronne d'épines, s'effondrer sous le poids de la croix et des injures, présenter ses paumes afin qu'on y enfonçât les clous ?

Et attendre, après ce martyre et cette mort acceptés, que s'ouvre le tombeau, et que la résurrection apporte, enfin, la Vie éternelle ?

Pouvait-on croire cela ?

Devais-je le croire ?

Eclectos m'a apporté une page de l'un des livres de Flavius Josèphe.

« Lis cela, Priscus. Voilà le juif qui reconnaît notre Christos. »

J'ai lu et relu ces phrases :

« C'est vers ce temps-là que parut Jésus, homme sage, si toutefois il faut l'appeler homme, avait écrit Flavius Josèphe. C'était un faiseur de miracles et le maître des hommes qui reçoivent avec joie la Vérité. Il attira à lui beaucoup de Juifs et beaucoup de Grecs. Il se nommait Christos. Et lorsque, sur la dénonciation de nos premiers citoyens, le procurateur Pilate l'eut condamné à la crucifixion, ceux qui l'avaient d'abord aimé ne cessèrent pas de le faire, car il leur apparut, après trois jours, ressuscité alors que les prophètes divins avaient annoncé cela et mille autres merveilles à son sujet. Et le groupe appelé chrétiens n'a pas encore disparu. »

« Nous ne disparaîtrons jamais », a conclu Eclectos.

Son visage était radieux.

Mais le doute était enraciné en moi.

Pourquoi Flavius Josèphe, ce juif savant qui n'avait jamais renié sa foi, même s'il s'était mis au service de Vespasien et de Titus, ennemis de son peuple, eût-il reconnu que cet homme, Jésus, était Christos, fils de Dieu ? Et s'il l'avait cru et écrit, pourquoi n'était-il pas lui aussi, comme tant d'autres Juifs, devenu chrétien ? Pourquoi s'était-il obstiné à ne pas croire en la divinité et en la résurrection du Christ ? Il y avait, dans l'entourage de Titus, des chrétiens qui l'eussent accueilli et protégé.

Mais il avait refusé la nouvelle foi et défendu celle de son peuple. Et sans doute avait-il été l'une des victimes des persécuteurs de Domitien qui avait ordonné de supplicier les Juifs comme les chrétiens, surtout s'ils avaient appartenu à sa famille ou à l'entourage de son frère, Titus. Ainsi avait péri Flavius Clemens, son cousin.

J'ai fait part de mes doutes à Eclectos.

Il n'en a pas paru surpris.

« Tu ne vois pas encore le soleil, Priscus, a-t-il dit. Il suffit d'un voile dans le ciel pour que ton esprit nie qu'il y a le jour et la lumière.

– Flavius Josèphe est demeuré fidèle à sa foi, ai-je répondu. Il a nommé le Christ, prétends-tu, mais il n'a pas rejoint les chrétiens. Dis-moi pourquoi, Eclectos !

– Dieu choisit ceux qu'Il veut sauver. »

J'ai eu un mouvement d'impatience mais, d'un geste dont la vivacité m'a surpris, Eclectos m'a empoigné l'avant-bras comme pour m'éviter de prononcer des paroles sacrilèges ou d'esquisser un geste de défi.

« Dieu donne à chacun l'occasion de montrer qu'il mérite d'être sauvé », a-t-il ajouté.

Ses doigts ont enserré mon poignet comme l'anneau d'une chaîne.

« Et toi, Julius Priscus, le mérites-tu ? »

TROISIÈME PARTIE

16.

Comment savoir ce que ce Dieu unique et silencieux attendait de moi ?

J'ai interrogé plusieurs fois Eclectos, mais il s'est contenté de sourire, de murmurer que, puisque je posais cette question, la réponse était déjà en moi comme une graine dans la terre humide et grasse, avant le printemps.

Je cueillerais bientôt l'épi.

Un matin, je me suis penché vers Eclectos, mais j'ai refusé, alors qu'il m'y conviait, de m'asseoir auprès de lui.

Je ne voulais plus me soumettre à sa loi. Il n'était qu'un vieux Grec habile à tresser des phrases, à nouer des mots autour de ma gorge pour m'empêcher de lui répliquer. C'était un magicien, un astrologue, un devin, comme tous les prêtres qui servaient les dieux de Rome. Mais il avait préféré choisir ce Dieu nouveau dont il se faisait l'apôtre, sans doute pour son plus grand profit.

J'étais en rage. Mon visage frôlait le sien. Je brandissais les poings. J'avais envie de marteler ses yeux pour que s'y éteignît son regard plein d'attention, de tendresse mais aussi d'ironie.

J'ai commencé à lui raconter la nuit que je venais de vivre, couché entre les corps nerveux et chauds, doux comme des coussins remplis de plumes, de deux jeunes esclaves – deux vierges arrivées la veille de Phrygie et que Sélos avait achetées pour moi au marché aux esclaves de Capoue.

« Sélos, ai-je répété, tu le connais ? C'est un homme de ta secte, un chrétien comme toi. Mais c'est aussi mon affranchi, mon chien, mon rabatteur, qui sait flairer et débusquer le gibier que j'aime. Est-ce qu'il mérite d'être sauvé ? Est-ce qu'il agit en chrétien ? Qui le fait ? »

Je me suis emporté contre ce Dieu qui laissait les hommes se conduire à leur guise. Ils massacraient et soumettaient des peuples. Ils vendaient enfants et femmes comme esclaves.

« Sélos, ton frère dans la foi du Christ, achète les plus jeunes et les plus belles des vierges pour que je satisfasse mon désir. Pourquoi ton Dieu permet-Il ainsi que nous nous livrions aux plaisirs de la chair ? Veut-Il que nous vivions comme toi, vieillard qui te nourris d'une poignée d'amandes et d'un peu d'eau ? »

Je me suis approché de lui, mon front contre le sien.

« As-tu été choisi, toi, Eclectos ? Mérites-tu d'être sauvé ?

– Je suis comme toi, Priscus. Mais je crois en Christos, en sa bonté, en sa justice. »

Je me suis écarté. Il ne me répondait rien qui me satisfasse.

Il m'avait fait le récit de la mort de Domitien, le « Néron chauve », la Bête cruelle.

« Ce monstre, ce pervers, était-ce le vœu de Dieu que des hommes le tuent, que l'univers enfin soit débarrassé de cette hyène ? Ou fallait-il le laisser vivre, ne pas ourdir de complot et commettre ce meurtre, et alors subir le règne d'une bête qui suppliciait les chrétiens, les hommes honnêtes. Que dit ton Dieu ?

– Juge en homme, Priscus, il jugera en Dieu !

– Les hommes, les hommes... »

Les uns, après la mort de Domitien, avaient crié d'allégresse. Les sénateurs avaient envahi la curie, se donnant l'accolade, hurlant des injures contre cet empereur qu'ils avaient craint, ordonnant qu'on apportât des échelles afin qu'on pût ôter aussitôt les écussons et les portraits de Domitien. Ils décrétèrent qu'on devait fondre ses statues, effacer ses inscriptions, abattre ses arcs de triomphe, l'enterrer comme l'un de ses gladiateurs à qui il s'était donné dans la tribune même de l'amphithéâtre.

« Était-ce une conduite juste de la part de ces hommes, Eclectos ? Ils voulaient abolir la mémoire d'une bête : n'était-ce pas satisfaire Dieu ? »

Eclectos a gardé la même expression sereine et souriante :

« Dieu observe. Dieu juge », a-t-il répondu.

J'ai ricané.

Que pensait ce Dieu de la nourrice de Domitien qui avait réussi à enlever le corps de l'empereur afin de le brûler, selon les rites, d'en recueillir les cendres et de les réunir à celles des autres membres de sa famille, dans le temple de la gens Flavia, là où reposaient celles de Vespasien et de Titus, mais peut-être aussi celles de Flavius Sabinus et de Flavius Clemens, assassinés par Domitien qui, peut-être, avait fait empoisonner son frère Titus ?

« Ton Dieu se tait », ai-je répété.

On ne pouvait lire ses intentions, ses verdicts dans les entrailles ou le sang d'un animal éventré ou égorgé. De la victoire d'un gladiateur ou de celle d'un peuple sur un autre, on ne pouvait conclure que le premier avait été protégé, choisi par Dieu, et le second abandonné.

« La seule victoire des hommes, a murmuré Eclectos, ils la remportent en eux-mêmes quand ils prient Christos. »

Mais je n'étais pas d'humeur, ce matin-là, à me contenter des réponses d'Eclectos.

Je l'ai harcelé.

Savait-il qu'après que l'empereur Nerva eut succédé à Domitien, que son successeur Trajan eut déjà été adopté, qu'ainsi, pensait-on, l'ère des monstres était révolue et que commençait le règne des honnêtes gens, ceux qui ne trouvaient aucun plaisir à tuer, à voir souffrir, mais voulaient vivre comme il convient à un Romain, à un humain, que des soldats et des gladiateurs avaient assiégé le Palais impérial, réclamant qu'on proclamât divin Domitien et qu'on châtiât ses assassins ?

« Était-ce là ce que voulait ton Dieu ? Comment savoir ? »

Les soldats avaient obtenu de Nerva qu'il leur livrât les proches de Domitien ainsi que les gladiateurs qui avaient plongé leur poignard dans le corps de l'empereur.

« Ceux qui avaient libéré le genre humain de la Bête, ceux qui avaient eu le courage de tuer Domitien furent égorgés, écartelés. Et on dressa une nouvelle statue à l'empereur. Quel homme mérite donc d'être sauvé par Dieu ? Le monstre, ou celui qui le tue ? »

Je me suis à nouveau penché sur Eclectos.

« Peut-être ton Dieu est-Il moins soucieux des hommes que ces divinités que tu appelles des idoles ? Les prêtres qui les servent savent les faire parler, elles. C'est l'un des servants de Jupiter qui a dit à Marc Aurèle : “Contente le soldat et moque-toi du reste.” Parole de prêtre ou parole de Dieu ?

– Tu détiens la réponse, a marmonné Eclectos. À toi de la trouver. »

C'est ce jour-là qu'il m'a annoncé son départ pour Rome. Marcia, la favorite de Commode, et Hyacinthe lui avaient demandé de revenir.

« Que vas-tu faire, Eclectos ? Conspirer avec eux, préparer le meurtre de Commode ?

– Je suis vieux, a répondu le Grec. C'est ma mort que j'attends, que j'espère, non celle des autres.

– Tu sais bien ce que veulent Marcia et Hyacinthe. Ils sont chrétiens. Tu peux retenir leur bras.

– Ils écoutent Dieu tout comme je L'écoute.

– Ton Dieu dit à chacun ce qu'Il espère entendre.

– Tu as beau penser cela, Priscus, comment peux-tu être sûr d'avoir raison ? »

J'ai détesté ce matin-là ce réthoriqueur qui ne me fournissait jamais une réponse précise et me laissait emprisonné dans mes questions lancinantes.

Que voulait, que pouvait son Dieu ? Qu'attendait-Il de moi et des autres hommes en général ?

Était-il différent de ces divinités qui n'existaient que par la magie des prêtres et la crédulité de ceux qui les écoutaient ?

Je me suis souvenu de mon maître Marc Aurèle qui s'inclinait devant les dieux de Rome, honorait leurs temples et leurs prêtres, veillait à ce que processions et sacrifices fussent accomplis, mais dont j'avais pourtant deviné la réserve et même l'ironie sceptique.

« Ce sont des enfants qui ont encore la morve au nez, ceux qui croient qu'on peut changer le monde !, m'avait-il dit. Le temps, le mouvement de l'univers sont des torrents sur lesquels nous n'avons aucune prise, qui entraînent toute chose, toute pensée. »

J'avais interrompu Marc Aurèle, évoquant les dieux et les rituels religieux qu'il respectait.

« Je suis l'empereur du genre humain. Je dois respecter les croyances et religions de l'Empire, combattre celles qui affaiblissent et contreviennent à nos lois et nos traditions. Mais les dieux sont loin, Priscus, et nous ne sommes que des grains minuscules. Contente-toi des menues améliorations que tu peux, toi, accomplir en toi-même. Et si tu y réussis, ne crois pas que ce soit peu de chose ! Changer les dispositions intérieures des hommes, voilà ce que tu dois vouloir. Car sans le changement des cœurs et des opinions, à quoi sert le reste ? Quels que soient les gestes et les paroles des hommes et le gouvernement de l'empereur, il n'y aurait que des esclaves et des hypocrites. »

J'ai médité ce propos en regardant s'éloigner Eclectos.

Il avançait d'un pas lent, se dirigeant vers la via Appia, s'appuyant sur un long bâton qu'il tenait fermement et qui semblait être le double de sa maigre silhouette autour de laquelle flottaient les pans de sa tunique blanche.

Il avait refusé la litière et le chariot que je lui proposais.

J'avais alors souhaité que des esclaves cheminent à ses côtés afin de le protéger, de porter sa nourriture, de le soutenir si la fatigue venait à le terrasser.

Il avait souri :

« Dieu me voit, avait-il murmuré. Dieu choisit. Il sait que j'ai hâte de Le rejoindre. La paix est en moi. »

Il m'a ému. Je me suis senti coupable de l'avoir confondu avec ces astrologues, ces devins qui lisaient, dans les cadavres des animaux éventrés ou égorgés, les intentions des divinités qu'ils servaient.

Eclectos était différent.

Ni magicien, ni esclave, ni hypocrite.

Je me suis interrogé : et si son dieu, Christos, était le seul dieu capable de réaliser ce qu'espérait Marc Aurèle – en chaque homme, le changement de l'âme ?

17.

J'ai douté que Christos, fût-il le fils d'un Dieu unique tout-puissant, pût changer l'âme des hommes.

Je savais de quoi ceux-ci étaient capables.

À Capoue où je me suis rendu avec Sélos dans les jours qui ont suivi le départ d'Eclectos pour Rome, je les ai vus se jeter comme une meute enragée sur un passant à la peau brune d'Oriental. Ils avaient dû le suivre et, à un signal convenu, ils ont bondi, le frappant à coups de pierres et de gourdins.

J'ai retenu Sélos qui avait voulu s'élancer alors que l'homme n'était déjà plus qu'un corps pantelant, ensanglanté, que les tueurs projetaient en l'air comme un pantin, le laissant retomber sur les pavés, puis le saisissant à plusieurs par les quatre membres. Et certains, armés de coutelas, se penchaient, le tailladaient à l'aine, au cou, aux épaules, et bientôt tête, bras et jambes furent brandis comme des trophées cependant que le tronc restait au milieu de la rue, des chiens errants hésitant encore à s'approcher.

Près de nous, les témoins de la scène avaient ri, expliquant que cet Oriental avait refusé de s'incliner, d'envoyer un baiser d'adoration en passant devant le temple de Jupiter qu'ornait une statue de l'empereur Trajan.

« Les chrétiens aux lions ! », avait lancé une voix.

On avait applaudi. On s'est esclaffé en montrant les chiens qui commençaient à arracher des lambeaux de chair à ce qu'il restait du corps de l'homme.

J'ai entraîné Sélos. En posant ma main sur son épaule, j'ai constaté qu'il tremblait, puis je l'ai entendu murmurer :

« Je suis chrétien, je suis chrétien ! »

Je l'ai tiré par le bras pour qu'il marchât plus vite, qu'il ne cédât pas à la tentation, qui m'était apparue folle, de vouloir partager le sort de cet inconnu, peut-être chrétien, mais peut-être aussi bien juif, ou tout simplement étranger, phrygien, syrien ou égyptien, arrivé depuis peu d'Asie ou d'Orient et qui n'avait pas remarqué le temple de Jupiter, homme qu'on avait écartelé alors qu'il n'avait été que distrait.

C'est ce que j'ai remontré à Sélos.

Il a baissé la tête et répété :

« Merci, maître. »

Le ton de sa voix m'a irrité. Sa servilité m'humiliait. Me craignait-il à ce point ? Cet homme que j'avais cru capable, il y avait quelques instants, d'offrir sa vie au nom de sa foi, était redevenu un affranchi dont l'âme était restée celle d'un esclave, mon serviteur obéissant, celui qui choisissait les jeunes vierges sur l'estrade du marchand de Capoue et veillait à ce qu'elles fussent lavées et parfumées avant de les conduire jusqu'à ma couche.

C'était cela, l'âme d'un homme : insaisissable, sinueuse, nouée, enroulée sur elle-même comme un serpent ?

Qui pouvait se targuer de pouvoir la changer ?

J'ai regardé les cyprès plantés de part et d'autre de la via Appia que je devais emprunter pour regagner, à partir de Capoue, ma demeure.

J'ai imaginé entre leurs troncs les six mille croix que Crassus avaient dressées jadis pour y clouer les esclaves de Spartacus.

J'avais lu et relu le récit de cette révolte servile, rédigé par mon ancêtre Gaius Fuscus Salinator au temps où César, d'un coup de glaive, éventrait la République pour que l'Empire vît le jour.

Rien dans l'âme des hommes n'avait changé depuis ces années-là.

« Tu voulais mourir ? », ai-je lancé à Sélos que j'avais fait monter dans ma litière.

J'ai ricané.

« Il sera bien temps. La mort vient toujours. »

J'ai posé ma main sur sa nuque. Il s'était courbé encore davantage.

« Et je peux même te la donner. Ou je peux, pour te faire apprécier la vie, t'offrir... »

Je me suis penché et j'ai montré le chariot rempli de la dizaine d'esclaves que Sélos venait d'acheter pour mon compte.

« Tu prendras celle que tu voudras. Je te laisse choisir avant moi et je ne te le reprocherai pas, je ne t'envierai pas. »

Il n'a pas bronché.

Était-ce cela, devenir disciple de Christos : vouloir mourir et refuser de jouir ?

Je me suis emporté à la fois contre Sélos et contre moi qui retournais sans cesse dans ma tête ces pensées qui me blessaient.

« Tu sais aussi bien que moi – mieux, peut-être, parce que tu es né esclave, dans la boue – ce que valent les hommes, qu'ils croient au Dieu unique ou aux divinités de Rome... »

Je lui ai parlé de la révolte des Juifs de Cyrène alors que régnait l'empereur Trajan. Eux aussi croyaient au Dieu unique. Ils étaient, comme l'avait dit Eclectos, père et mère des chrétiens. Et Christos lui-même était né juif.

Mais ils avaient tué, au nom de leur foi, des dizaines, des centaines de milliers de ceux qu'ils appelaient « païens », habitants de Cyrène, d'Égypte, de Chypre et même de Judée et de Galilée. Ils avaient écorché leurs victimes et, assurait-on, dévoré leur chair, noué autour de leur taille, comme des ceintures, les boyaux de ces païens. Et en souvenir de ce qu'ils avaient subi sous Vespasien et sous Titus, ils avaient contraint leurs prisonniers à combattre les uns contre les autres dans l'arène, à s'entretuer comme des gladiateurs. Ils avaient livré aux bêtes certains de ces païens parce que, par le passé, des milliers de Juifs avaient été ainsi immolés sur ordre de nos empereurs, de nos légats, de nos tribuns, quand les spectateurs grecs ou syriens venaient en foule assister à ces massacres, traquant jusque dans le désert ceux qui avaient tenté de fuir.

Et ç'avait été le tour des Juifs de pourchasser, d'égorger leurs persécuteurs, voire même de scier ces malheureux, par le milieu du corps. Puis quand les soldats de l'empereur Trajan reconquirent la Cyrène, l'Égypte, toutes les villes où la révolte juive s'était répandue, ils se comportèrent à leur tour en bouchers. Le sang juif fut versé à si grands flots qu'il mit plusieurs jours à sécher, toute la population juive de ces régions étant exterminée. On laissa les corps pourrir afin de montrer à tous comment Rome châtiait ceux qui se rebellaient contre elle.

« Et toi, Sélos, tu voudrais devancer ta mort alors qu'elle te guette à chaque instant ? Ce soir, choisis ton esclave. Prépare-la comme si elle m'était destinée ! »

J'ai fermé les yeux. J'ai voulu oublier ces cyprès, ces croix, ces corps suppliciés – ceux des esclaves, des païens, des Grecs, des Juifs, des chrétiens.

J'ai imaginé l'esclave que Sélos conduirait jusque dans ma chambre. J'ai senti son parfum. J'ai vu ses hanches. Ma bouche s'est emplie de salive à la pensée de ce que j'allais lui ordonner. Elle serait bientôt nue et s'avancerait vers moi, comme je le voulais, à quatre pattes, telle une chienne, une truie. Et je serais son maître.

« Vis ! », ai-je commandé à Sélos.

Je l'ai secoué pour l'arracher à ses pensées, à ce silence dans lequel il s'engloutissait depuis que nous avions quitté Capoue, au remords, peut-être, de ne pas avoir partagé le sort de l'étranger.

« Je t'offre non seulement une esclave, mais aussi le meilleur de mes vins grecs, ai-je repris. Tu feras de l'esclave ce que bon te semblera. Tu boiras autant que tu le voudras, que tu le pourras. Mais peut-être vous autres chrétiens ne savez-vous plus ni vous accoupler ni boire ? »

J'ai ri, mais il est resté silencieux.

« Je n'exige pas de toi le récit de ta nuit, de ton plaisir et de ton ivresse, si tu t'y abandonnes. Tu me diras seulement si tu as encore envie de t'offrir en sacrifice à cette plèbe qui veut du sang, quel qu'il soit, juif ou chrétien, africain ou phrygien. Tu crois qu'elle pourchasse les chrétiens parce qu'ils sont les disciples de Christos ? ou parce qu'ils refusent de sacrifier aux dieux romains ? Les chrétiens ne sont qu'une espèce de gibier parmi d'autres. La plèbe tue parce qu'elle aime à tuer qui que ce soit. Et tu aspires à périr de ses mains ? Quel sens cela aurait-il ?

– La mort est promesse, a dit Sélos en se redressant. Voilà ma foi. Voilà ce qu'il y a dans mon âme. »

Je l'ai repoussé de moi aussi loin que je pouvais.

J'ai même eu la tentation de le précipiter hors de ma litière.

« Ton Dieu est mort sur la croix comme un esclave !, ai-je éructé. Et dix décennies avant lui, Crassus a crucifié ici même, le long de cette via Appia, six mille esclaves ! Ton Christos n'est qu'un mort de plus.

Rien ne change dans l'âme des hommes, Sélos, rien ! »

Il m'a enfin regardé dans les yeux :

« Christos est ressuscité, Maître ! Il a changé l'âme du genre humain. Il a changé mon âme ! J'espère mourir pour renaître en Lui. »

18.

J'ai donc découvert l'attrait qu'exerçait la mort sur les plus purs parmi les disciples de Christos.

J'ai été à la fois intrigué et effrayé par leurs propos.

Sélos, que je harcelais de questions, m'a avoué que la vie lui pesait, même s'il accomplissait les tâches qu'elle exigeait de lui.

« Je t'obéis, maître, me disait-il. Tu n'auras jamais à te plaindre de moi, mais je prie pour que Christos m'appelle.

– La mort est souffrance ! », lui objectai-je.

Il secoua la tête en souriant.

« Vivre loin de Lui est une torture, un supplice bien plus grand que tous ceux que l'on peut m'infliger.

– On te crucifiera. On te livrera aux bêtes...

– Écoute, maître, ce qu'a écrit Ignace, qui fut à Antioche l'évêque des chrétiens ; écoute, et tu sauras ce que je pense. »

Il a fermé les yeux et scandé chaque mot d'une voix grave :

« Laissez-moi être la pâture des bêtes grâce auxquelles il me sera donné de jouir de Dieu. »

J'ai frissonné.

Ce désir de mort, était-ce là le plus beau fruit du

labour de Christos dans les âmes de ceux qui croyaient en lui ?

Je m'étais autrefois rebellé contre les ultimes pensées de mon maître Marc Aurèle. Mais il n'aimait pas la mort, il ne l'espérait pas. Il acceptait le terme parce que c'était là faire preuve de sagesse. La vie n'était à ses yeux qu'une danse macabre qui entraînait tous les vivants, qu'ils fussent esclaves, empereurs-philosophes ou savants.

« Hippocrate, après avoir guéri bien des maladies, tomba lui-même malade et mourut, m'avait-il dit. Alexandre, Pompée, Caïus César, après avoir tant de fois rasé des villes entières et taillé en pièces, dans des batailles rangées, cavaliers et fantassins par dizaines de milliers, eux aussi finirent par quitter la vie. Après tant de savantes études sur l'embrasement final du monde, Héraclite mourut, son corps empli d'eau et sa peau toute enduite de bouse. Démocrite, ce fut la vermine qui le fit périr. La vie et le plaisir ne sont rien. L'accouplement n'est que frottements dans un petit boyau et, après un spasme, émission de morve. Cela va être ton tour de mourir, Priscus. Tu t'es embarqué, ta navigation est terminée, tu abordes : débarque... ! »

Cette sagesse désespérée, tout mon corps et mon instinct l'avaient rejetée, même si ma raison l'admettait.

Mais les chrétiens allaient au-delà de ce qu'avait pensé Marc Aurèle. Sélos espérait la mort avec joie et ferveur.

Là était le changement intervenu dans les âmes, que je rejetais et qui, cependant, me fascinait.

Et lorsque Eclectos est rentré de Rome, que je l'ai vu appuyer son long bâton contre la colonne de porphyre et s'asseoir sur le muret, dans la cour intérieure, je me suis précipité vers lui.

Il m'a paru encore amaigri.

Je voyais ses yeux enfoncés, ses tempes et ses joues hâves et, sous la peau tendue de son visage, les os tels qu'il apparaîtraient, blancs et nus, quand la mort les aurait dépouillés de leur fine enveloppe.

Un peu haletant, la voix exténuée, il a commencé à me faire le récit de son voyage à Rome, à me rapporter les propos de Marcia et de Hyacinthe qui lui avaient décrit les nouveaux crimes de l'empereur.

Commode était plus monstrueux que l'avaient été Néron l'Antéchrist et Domitien la Bête chauve :

« Le Seigneur est proche, a murmuré Eclectos. Le châtiment va frapper le Palais impérial, cette ville et cet empire maléfiques. La mort va recouvrir toutes les cités, toutes les provinces d'un grand voile noir. Et les hommes périront. Alors Christos jugera, et renaîtront ceux qui ont cru en Lui.

« Toi aussi, ai-je dit, comme cet Ignace d'Antioche, tu marches avec allégresse vers la mort ! »

Il s'est étonné : seuls les chrétiens connaissaient l'évêque de Syrie, Ignace le martyr.

« Je ne sais rien de lui, ai-je protesté.

– Mais il t'habite déjà ! », a-t-il souligné.

Tête baissée, il a murmuré des mots que je n'entendais pas, sans doute une prière à Christos.

« Ils l'ont condamné à mort, a-t-il repris. L'empereur Trajan régnait. Parce qu'Ignace n'était pas citoyen romain, ils ont décidé de le conduire à Rome et de le livrer aux bêtes dans l'amphithéâtre. Il avait une noble stature, un visage beau et serein. Il était digne d'être sacrifié devant la plèbe de Rome.

« On l'embarqua sur une trirème, mais les soldats qui le gardaient n'osèrent pas le jeter à fond de cale, même s'ils l'enchaînèrent et se conduisirent avec lui comme dix léopards. C'est Ignace qui les comparait à ces fauves.

« Mais Dieu entoure les hommes qu'Il a choisis d'un halo. Ils sont habités par une foi si grande qu'elle rayonne et tient à distance les pires bourreaux. Ils ont beau les tuer, les supplicier, ils les craignent et les respectent. On sent qu'ils appartiennent déjà à un autre monde.

« Ignace est donc resté sur le pont, et à chaque escale il a pu rencontrer les chrétiens des villes d'Asie. Il a pu écrire et confier ses lettres à des courriers. On a lu ses épîtres à Smyrne, à Éphèse, à Tyr, à Césarée, à Alexandrie et dans les villes des provinces de Bithynie, de Phrygie et même de Gaule. Les chrétiens de Lugdunum, les pères de ceux qui sont morts devant tes yeux aveugles, sont aussi les fils d'Ignace d'Antioche.

« On l'a ainsi connu dans tout l'Empire. Et il a adressé une de ses lettres aux Romains. »

Eclectos s'est interrompu et m'a longuement dévisagé.

« Tu la liras et tu verras briller l'âme d'un chrétien. »

19.

J'ai lu la lettre d'Ignace aux chrétiens de Rome. Les mots en ont résonné en moi et fait trembler et mon corps et mon âme.

Il dit évoquant le martyre qui l'attend :

« Si Dieu me fait la grâce d'aller jusqu'au bout, j'espère que je vous embrasserai alors que j'appartiendrai à Christos.

« L'affaire est bien entamée pourvu seulement que rien ne m'empêche d'atteindre le lot qui m'est échu. C'est de vous, à vrai dire, que viennent mes inquiétudes. Je crains que vous ne me sauviez de la mort.

« Vous autres, vous ne risquez rien, mais moi, c'est Dieu que je perds si vous réussissez à me sauver.

« Si vous ne dites rien, je rejoindrai Dieu ; si, au contraire, vous aimez ma chair, me voilà de nouveau rejeté dans la lutte.

« Laissez-moi immoler pendant que l'autel est prêt !

« Il est bon, en effet, de se coucher du monde en Dieu, pour se lever en Lui.

« Je vous supplie donc de ne pas vous montrer, par votre bonté intempestive, mes pires ennemis.

« Laissez-moi être la pâture des bêtes grâce auxquelles il me sera donné de jouir de Dieu.

« Je suis le froment de Dieu.

« Il faut que je sois moulu par les dents des bêtes pour que je sois trouvé pur pain de Christos !

« Caressez plutôt ces bêtes afin qu'elles soient mon tombeau et qu'elles ne laissent rien subsister de mon corps, et que mes funérailles ne soient ainsi à la charge de personne.

« C'est alors que je serai vraiment disciple de Christos, quand le monde ne verra plus mon corps.

« Car rien de ce qui est apparent n'est bon.

« Ce qu'on voit est temporaire ; ce qu'on ne voit pas est éternel.

« Le christianisme n'est pas seulement œuvre de silence. Il devient une œuvre d'éclat quand il est haï du monde.

« Je gagnerai, je vous l'assure, à me trouver en face des bêtes qui me sont préparées.

« J'espère les rencontrer dans de bonnes dispositions.

« Au besoin, je les flatterai de la main pour qu'elles me dévorent sur-le-champ et qu'elles ne fassent pas comme pour certains qu'elles ont craint de toucher. Que si elles y mettent du mauvais vouloir, je les forcerai !

« Pardonnez-moi, je sais ce que je préfère.

« C'est maintenant que je commence à être un vrai disciple.

« Non, aucune puissance, ni visible ni invisible, ne m'empêchera de jouir de Christos.

« Feu et croix, troupeaux de bêtes, dislocation des os, mutilation des membres, broiement de tout le corps, que tous les supplices du démon tombent sur moi pourvu que je jouisse de Christos !

« Mon amour a été crucifié et il n'y a plus en moi d'ardeur pour la matière, il n'y a qu'une eau vive qui murmure au-dedans de moi et me dit : "Viens vers le Père !"

« Je ne prends plus de plaisir à la nourriture corruptible ni aux joies de cette vie.

« Je veux le pain de Dieu, ce pain de vie qui est la chair de Christos, fils de Dieu, né à la fin des temps de la race de David et d'Abraham.

« Et je veux pour breuvage Son sang qui est l'Amour incorruptible, la Vie éternelle. »

J'ai lu et relu cette lettre.

J'ai répété comme une prière :

« Je suis le froment de Dieu. Il faut que je sois moulu par les dents des bêtes, que je sois trouvé pur pain de Christos ! »

Serai-je un jour emporté par cette foi ardente, mon corps et mon âme embrasés par ce désir du martyre, éprouvant cette même joie à la certitude que ma mort me fera m'unir à ce Christos et ressusciter dans une Vie éternelle ?

J'ai eu peur de le vouloir. J'ai serré dans mes bras le corps d'une esclave, cette chair dont Marc Aurèle disait qu'elle n'était que « boue et sang, os, tissu de nerfs, de veines et d'artères », mais à laquelle je m'accrochais encore en croyant ainsi rester dans la vie.

20.

J'ai bu du vin âpre.

J'ai voulu oublier la voix joyeuse et exaltée du chrétien marchant vers le martyre.

J'ai exigé de l'esclave qu'elle me lèche le corps, qu'elle me caresse et imprègne ma peau d'huiles parfumées.

Puis je l'ai repoussée et j'ai titubé sous le portique de la cour intérieure. J'ai dû m'appuyer des deux mains à l'une des colonnes de porphyre pour ne pas tomber aux pieds d'Eclectos.

J'ai fermé les yeux, baissé la tête. Je ne voulais pas croiser son regard plein de compassion.

« Tu sais bien, Julius Priscus, a-t-il murmuré, que la vie ne vaut rien si tu ne crois pas en la résurrection. Ce qu'on voit est temporaire, a écrit Ignace. Et ce qu'on ne voit pas est éternel. »

J'étais ému aux larmes par la douceur de sa voix.

« Ne te dérobe pas, Julius. Va vers ce que tu sens, ce que tu sais. La vie sans Dieu est la mort. La mort avec Christos est la vie. »

En me redressant j'ai hurlé qu'on chasse Eclectos de cette cour, qu'on l'enferme avec les esclaves, avec les chiens et les truies, et s'il venait à quitter ces bâtiments, qu'on le fouette à mort !

« Sélos, Sélos, viens ! »

J'ai tendu le bras vers mon régisseur. Je l'ai chargé d'exécuter mes ordres. Si besoin était, il manierait le fouet.

« Tu frapperas jusqu'au sang ! »

Je l'ai vu s'éloigner, soutenant Eclectos, et j'ai craint de tomber à genoux, de sangloter.

J'ai gagné Capoue avec mon escorte d'esclaves.

Ils avançaient, fendant la foule qui se pressait dans les ruelles. Ils levaient leurs gourdins afin qu'on s'écartât plus vite devant ma litière.

Je soulevais les rideaux de cuir. J'étais fasciné par ce grouillement, toutes ces vies précaires, nées de l'accouplement, « ce frottement dans un petit boyau, avec, après un spasme, émission de morve ».

Je frissonnais de dégoût. J'en voulais à Marc Aurèle de n'avoir laissé du fruit de la vie que l'écorce amère.

J'ai voulu croire au plaisir.

Je suis entré dans le lupanar. J'ai payé des femmes et des hommes pour qu'ils s'accouplent devant moi.

Puis je me suis enfui.

J'avais besoin d'emplir ma bouche de garum, de sentir sur ma langue cette saumure de sang, d'abats, de poisson, et de respirer son odeur putride.

Je me suis fait conduire dans une taverne. J'ai mordu dans la chair tiède du gibier couverte de garum. J'ai vomi.

Je me suis rendu à la caserne des gladiateurs, celle dont Spartacus, au temps de mon ancêtre Gaius Fuscus Salinator, s'était enfui. Ainsi avait commencé sa guerre servile. Le laniste m'a accueilli avec déférence. C'était un homme rond et chauve, aux yeux exorbités, aux lèvres épaisses. Il tendait les mains vers les torses de ses gladiateurs qu'il effleurait du bout des ongles.

« Ce sont les plus forts, les plus valeureux. Ils viennent d'Afrique et d'Asie. Tu les honoreras en assistant à leur combat. »

Je l'ai suivi dans la loge de l'amphithéâtre réservée aux magistrats de Capoue.

La foule sur les gradins était debout, hurlante. Un taureau noir faisait jaillir avec ses sabots arrière le sable de l'arène. Une femme nue était attachée à un pilier.

Je me suis souvenu de cette jeune femme dans l'arène de Lugdunum, livrée comme celle-ci à la fureur taurine.

Je ne voulais pas me souvenir. Je voulais n'avoir rien vu.

Il y eut tout à coup le déferlement des voix comme un énorme rugissement.

J'ai regardé. De ses cornes, l'animal fouaillait le ventre de la femme dont les entrailles s'étaient répandues.

« Elle est de la secte de Christos », m'a dit le laniste.

Dans l'arène, on maîtrisait le taureau. On traînait avec des crocs le corps de la femme sur le sable. Sa chair allait nourrir les bêtes.

Les gladiateurs ont pénétré dans l'amphithéâtre et je suis parti.

J'ai repris le chemin de ma demeure.

Le balancement de ma litière m'a donné la nausée. J'avais dans la bouche le goût du garnum et du gibier que j'avais englouti.

« C'est se faire une idée de ce que sont les viandes cuites et les mets de ce genre, avait écrit Marc Aurèle, que de se dire : ceci est un cadavre de poisson ; ceci est un cadavre d'oiseau ou de porc. »

J'ai vomi sur le bord de la via Appia en appuyant mon front au tronc de l'un de ces cyprès auprès desquels Crassus avait fait dresser des croix.

J'ai fait quelques pas, contemplant l'alignement de ces arbres, imaginant celui des six mille croix, entendant les cris de souffrance et les supplications des esclaves cloués.

Combien d'entre eux étaient allés sans crainte à la mort ?

Christos n'était pas encore venu.

Alors, que pouvait-il rester de l'âme de ceux auxquels aucun Dieu n'avait annoncé ou promis la résurrection ?

Ils étaient morts dans la révolte.

Cette guerre servile révélait-elle le désir d'un Dieu juste, un homme souffrant comme un esclave, crucifié comme lui ?

J'ai marché près de la litière pour respirer la brise marine, chasser de ma bouche le goût du garum.

Je mêlais dans ma tête les mots d'Ignace, ceux d'Eclectos et ceux de Marc Aurèle.

« Je suis le froment de Dieu », avait écrit Ignace.

« La mort avec Christos est la vie », avait dit Ecletos.

« De même que tu es écœuré par les jeux de l'amphithéâtre et des lieux semblables, tavernes et lupanars, parce qu'on y voit toujours les mêmes choses et que la monotonie rend le spectacle fastidieux, tu éprouveras les mêmes sentiments à considérer la vie d'un bout à l'autre. Tout, de haut en bas, est pareil, provenant des mêmes causes », avait écrit Marc Aurèle.

Et il avait ajouté cette interrogation que j'ai répétée à chacun de mes pas sur cette via Appia, chemin de douleur pour tant d'hommes :

« Jusqu'à quand, jusqu'à quand ? »

21.

Jusqu'à quand ?

En retrouvant ma demeure, j'ai cru me débarrasser de cette question aussi irritante qu'une poussière qu'on ne parvient pas à chasser de son œil.

Les esclaves m'ont entouré, sitôt descendu de ma litière. Ils m'ont saisi les mains, les ont embrassées en murmurant qu'ils remerciaient les divinités de m'avoir protégé, rendu à ma maison, à ceux qui me servaient, me vénéraient.

La demeure n'était en ordre, ont-ils ajouté en m'entraînant vers les thermes, que lorsque je l'habitais. J'en étais le protecteur, l'empereur, le dieu. Sans ma présence, le chaos s'installait, les impies prêchaient la rébellion. Les esclaves me rendaient grâce d'être revenu si vite.

Bercé par leurs voix serviles, je n'ai guère prêté attention à leurs propos.

Dans les thermes, j'ai laissé les jeunes esclaves me déshabiller, leurs mains agiles voletant autour de moi, et lorsque je me suis retrouvé nu, j'ai eu l'impression que ces pensées, ces interrogations qui avaient scandé mes pas le long de la via Appia étaient ensevelies sous mes vêtements souillés de sueur, de poussière et de boue, désormais amoncelés sur les dalles de marbre.

La vapeur du caldarium m'a enveloppé, étourdi.

Je me suis glissé dans le bain brûlant où mon corps et mes inquiétudes ont paru se dissoudre.

Que m'importait à cet instant de savoir jusqu'à quand se prolongerait ma vie ? Jusqu'à quand perdurerait l'empire de Rome et le genre humain qu'il gouvernait ? jusqu'à quand les hommes craindraient ou désireraient la mort ?

Je me suis sous doute assoupi, ne me réveillant vraiment qu'au moment où les esclaves ont commencé à me masser, leurs doigts paraissant repousser ma peau du bas de mes reins vers ma nuque, et j'ai eu l'impression qu'ainsi sortaient de moi et ma fatigue et mes craintes.

J'étais un homme rajeuni, apaisé.

J'ai quitté les thermes et me suis dirigé vers la cour intérieure où je pensais marcher lentement sous le portique en lisant, en profitant de la dernière lumière, la plus douce, celle qui précède la nuit.

Soudain, en face de moi, envahissant la cour, occupant tout le portique, montant sur le muret, entourant les colonnes de porphyre, j'ai vu cette foule au premier rang de laquelle se trouvaient des soldats et un centurion. Je reconnus les visages de certains de mes esclaves, mais grimaçants. Les soldats se sont arrêtés à quelques pas. Le centurion s'est avancé, s'est incliné :

« Dans ta demeure, a-t-il dit, se cachent des impies qui refusent de sacrifier à nos dieux et à l'empereur. Ils se rassemblent la nuit. Profitant de ton absence, ils organisent sous ton toit des orgies, des banquets. Ils dévorent de la chair d'enfant. Ils en boivent le sang. Ils maudissent l'empereur, violent les lois de Rome ! »

Des voix venues de la foule roulaient, résonnaient sous le portique et dans toute la cour : « À la porte, les chrétiens ! Les chrétiens aux lions ! »

« Ils s'embrassent à pleine bouche », a lancé une femme.

Il m'a semblé qu'elle était l'une de celles que Sélos avait poussées dans ma chambre, jeune vierge aux traits affaissés, au corps déjà défraîchi.

« Ils s'accouplent comme des animaux, a dit une autre. Ils s'unissent entre frères et sœurs, parents et enfants. Ce sont des porcs !

– Tu dois nous les livrer, a repris le centurion. Ils seront jugés à Capoue.

– Les chrétiens aux lions ! », a hurlé la foule.

Je me suis avancé, j'ai fixé le centurion jusqu'à ce qu'il baisse les yeux.

« Que fais-tu chez moi ? As-tu un ordre de l'empereur pour t'introduire dans la demeure d'un chevalier ? Montre-moi cet ordre ! »

Le centurion a reculé.

« Qui t'a entraîné à agir ainsi contre la loi ? Donne-moi les noms de ces délateurs, de ces menteurs ! Tu connais les rescrits de Trajan ? Il ne peut y avoir de dénonciations anonymes. L'aurais-tu oublié ?

– Les chrétiens sont les ennemis de Rome, a marmonné le centurion. Ce sont des impies, des athées. Ils attirent le mal. Ils rejettent et méprisent les dieux qui protègent l'Empire. Tu le sais bien, Julius Priscus. Tu n'ignores pas ce que pense et veut notre empereur. »

Derrière le centurion j'apercevais tous ces visages que la haine déformait. C'était ceux que j'avais vus sur les gradins de l'amphithéâtre, à Capoue. Qui avaient de leurs cris excité le taureau noir pour qu'il éventre la jeune femme nue.

J'ai hurlé :

« Ceux qui ne respectent pas les lois de Rome seront châtiés ! Et c'est moi, Julius Priscus, qui livrerait leurs noms à l'empereur lui-même pour que nul ne puisse échapper au supplice. »

J'ai posé ma main sur l'épaule du centurion.

« Centurion, ai-je martelé d'une voix forte afin que chacun m'entendît, je t'ordonne de te saisir des esclaves qui se sont rebellés, qui ont envahi cette cour, qui méritent pour cela la torture et la crucifixion. »

La foule, comme un grand corps que la fièvre envahissait, a commencé à trembler, puis a reflué, et alors que la pénombre n'avait pas encore fini d'envahir la cour, je n'eus plus en face de moi que les quelques soldats rassemblés autour de leur supérieur.

J'ai appelé Sélos.

Il s'est avancé.

Jamais il ne m'avait semblé marcher aussi droit, le visage aussi radieux.

J'ai su qu'il espérait le martyre.

« Fais donner du vin aux soldats et au centurion », ai-je dit.

Je me suis éloigné, mais, avant de quitter les lieux, j'ai lancé :

« Pour cette fois, j'oublie... »

Le centurion s'est incliné.

« Fais comme moi », ai-je ajouté.

J'ai baissé la tête.

Jusqu'à quand les hommes voudraient-ils la mort d'autres hommes ?

22.

J'avais sauvé la chair des chrétiens. Mais Eclectos m'a dit :

« Nous restons prisonniers de ce monde. Crois-tu que nous nous en réjouissions ? »

Il se tenait en face de moi dans la bibliothèque, ses mains décharnées serrant son grand bâton. Les manches de sa tunique avaient glissé, laissant apparaître ses avant-bras grêles.

Il m'est apparu encore plus maigre, encore plus frêle, comme si, en quelques jours, son corps avait pu se dessécher, sa peau jaunir, ses yeux s'enfoncer tout en restant brillants, mais comme si la fièvre le consumait et les éclairait.

Près de lui se tenaient Sélos et Doma.

Je me suis avancé. Je les ai dévisagés. Eclectos et Sélos ont soutenu mon regard sans ciller. Mais Doma a baissé les yeux.

J'ai saisi son poignet et attiré son corps, le retournant, le forçant à appuyer son dos contre ma poitrine, ses cuisses contre mon sexe.

J'ai plaqué mes mains sur ses seins. J'ai senti dans mes paumes le battement du sang, sa chaleur.

« La vie est faite pour la vie, ai-je dit. La louve a allaité Remus et Romulus. Doma doit nourrir des enfants. »

J'ai pressé sa poitrine.

« Son corps le demande. Ne le vois-tu pas, Eclectos ? Moi, je le sens. Pourquoi votre Dieu vous aurait-Il créés si c'est pour que vous priiez en sorte d'être suppliciés, réduits par les crocs des bêtes à de la chair morte, à ce que votre Ignace appelle le "froment de Dieu." Christos vous a-t-il fait naître pour que vous mourriez immolés, égorgés comme des moutons ? »

J'ai repoussé Doma.

« Il n'est pas un seul Dieu qui veuille que meurent ses disciples. Si votre Christos le souhaite pour vous, pourquoi ne pas vous ouvrir vous-mêmes les veines, vous fracasser la tête en vous jetant dans quelque abîme ? Pourquoi laisser à d'autres le soin de vous torturer, de vous crucifier ? »

Je me suis approché d'Eclectos.

« Tout le monde vous hait », ai-je dit.

Il a levé la main, les doigts écartés.

« Tu as lu la lettre d'Ignace, Priscus ? Souviens-toi, il écrit : "Le christianisme devient une œuvre d'éclat quand on est haï du monde. Dieu nous a choisis pour que, par notre martyre, nous montrions la force que Christos nous donne. Nous supportons le fer, la flamme et la croix. Nous proclamons ainsi notre foi dans la résurrection." »

Je me suis détourné.

« Tu as entendu ce que criait la foule de mes

esclaves : “À la porte, les chrétiens ! Les chrétiens, aux lions !” Tu as converti une poignée d’entre eux, mais tous les autres, la plèbe de Capoue et celle de Rome, tout le peuple de l’Empire, à l’exception de quelques croyants comme vous, vous traquent, vous dénoncent, vous lapident. J’ai assisté à cela, à Capoue : ils frappent, ils trépignent, ils hurlent de joie quand vous êtes livrés aux bêtes, dans l’amphithéâtre. Ils vous soupçonnent d’athéisme, de tous les sacrilèges. Vous méprisez leurs croyances. Vous vous moquez de leurs dieux. Vous vous cachez pour célébrer le vôtre. On dit – une femme l’a crié – que vous vous embrassez à pleine bouche, que vous vous accouplez comme des chiens, des gorets, que vous dévorez la chair des enfants, que vous buvez leur sang. Voilà ce que j’ai entendu. Chaque citoyen romain est prêt à se faire délateur pour qu’on vous tue. »

Je me suis à nouveau approché d’Eclectos.

« Et sais-tu pourquoi cette haine ? »

J’ai touché sa poitrine squelettique du bout de l’index. J’ai senti ses os.

« Parce que vous désirez la mort, que vous marchez vers elle sans crainte. Que vous criez que vous la préférez à la vie. Vous ne craignez pas le supplice. Vous êtes des êtres différents. Vous n’appartenez pas à la pauvre espèce des hommes qui hurlent de terreur quand le bourreau s’avance, qui se débattent quand on met le feu au bûcher, qu’on cloue leurs paumes sur la croix. Sais-tu ce que j’ai entendu à Capoue de la bouche d’un magistrat ? “Que deviendra la société si cet esprit l'emporte, si les scélérats se mettent à ne plus craindre le supplice ?" On vous hait parce que vous êtes la lèpre qui va ronger l'Empire ! »

Eclectos m'a souri :

« Nous sommes l'amour, Julius Priscus. C'est dans l'âme de chaque homme, dans l'empire de Rome et donc dans tout le genre humain que nous allons vaincre la mort et la haine. »

Je me suis laissé tomber sur le lit. Subitement, j'étais sans forces.

Eclectos est alors venu s'asseoir près de moi.

QUATRIÈME PARTIE

23.

« Écoute la voix d'un chrétien », a murmuré Eclectos.

Il était assis près de moi, le buste penché en avant, tenant son bâton de la main droite.

« Regarde le visage d'un chrétien », a-t-il ajouté.

Il m'a entouré les épaules de son bras gauche, si léger, si maigre et, me serrant contre son flanc, m'a forcé à me tourner vers lui.

« Que vois-tu dans mes yeux, que sens-tu dans mon corps ? Les chrétiens ont chassé la haine de leur âme. Pourquoi, Priscus, prêtes-tu attention aux délateurs, aux calomniateurs ? Ce sont ces hommes-là qui, sur les gradins de l'amphithéâtre, hurlent comme des chacals. Ils sont heureux de la souffrance des autres. Ils veulent voir couler le sang. Ils parcourent les rues comme des fauves afin de nous débusquer. Ils se jettent sur nous. Ils nous livrent aux juges, aux bourreaux. Et toi, Priscus, tu vas vers eux alors qu'ils crient : "Les chrétiens aux lions !" Comment peux-tu les croire quand ils prétendent que nous sommes athées, impies, que nous nous rassemblons la nuit pour nous accoupler, nous qui sommes frères et sœurs, et pour égorger les enfants que nous aurions volés, et nous repaître de leur chair ?

J'ai senti ses doigts se crisper sur mon bras.

« Nous sommes purs, Priscus ; nous ne sommes pas sur les gradins de l'amphithéâtre, mais dans l'arène. C'est nous que les bêtes dévorent, que les bourreaux torturent, que les taureaux éventrent, nous que l'on cloue sur les croix. As-tu jamais entendu un chrétien demander qu'on tue un autre homme ? C'est le chrétien qu'on pourchasse, qu'on dénonce, qu'on supplicie. C'est lui qu'on accuse d'orgies nocturnes, de festins de chair humaine, afin de pouvoir le tuer ! »

Il a fermé les yeux.

« Ce qu'on appelle notre crime, celui pour lequel on nous hait et on nous élimine, c'est notre refus de reconnaître et d'honorer les faux dieux, les idoles, d'accomplir les sacrifices, de nous incliner devant leurs statues, voire devant celle d'un empereur qui veut se faire passer pour Dieu. Mais ces dieux-là, Priscus, sont des démons que les philosophes grecs – ainsi Socrate aux temps les plus lointains du genre humain – ont dénoncé, eux aussi, au nom de ce qu'ils appelaient la raison. Notre Christos est à la fois Raison et Amour, Esprit et Chair, Fils et Père. C'est lui que nous célébrons quand nous nous réunissons. »

Il s'est levé et j'ai été surpris par la force avec laquelle il me tirait, sa main gauche agrippée à mon épaule, me forçant à me redresser et à le suivre.

À quelques centaines de pas de ma demeure, dans une clairière entourée de sept cyprès, des hommes et des femmes attendaient Eclectos.

Ils se tenaient par la main, formant un cercle au centre duquel le Grec s'est placé.

Je me suis adossé à l'un des arbres.

Dans la pénombre, je ne distinguais que les silhouettes, je ne voyais pas les visages, mais j'ai cru reconnaître Sélos et Doma.

Eclectos a levé les bras et le murmure des voix m'a enveloppé.

« Seigneur, Tu es la source, a-t-il répété. Nous Te prions afin que Tu nous irrigues de Ta foi en Dieu le Père. Nous que Tu as illuminés, nous Te prions pour tout le genre humain. »

Ils ont prié longtemps, puis se sont enlacés, embrassés, et j'ai eu froid.

J'ai désiré être l'un d'eux, sentir contre moi un corps fraternel qui aurait réchauffé le mien. Mais je suis resté immobile contre le tronc de l'arbre, mon dos endolori par l'écorce rugueuse.

Tout à coup, la voix d'Eclectos a retenti, forte et solennelle :

« Voici le pain, a-t-il dit, et voici le vin ; ceci est Ton corps, et ceci est Ton sang. Nous les partageons en mémoire de Toi, entre tous ceux qui ont été lavés de leurs péchés, qui Te reconnaissent pour leur Dieu et croient en Ta *résurrection.* »

Ils ont prié jusqu'à l'aube puis, au moment où la lumière envahissait la clairière, j'ai vu Sélos s'avancer au milieu du cercle, cependant qu'Eclectos s'en retirait, s'approchait de moi. Il me chuchota que Sélos était l'un des plus fervents chrétiens, qu'il avait lu et écouté les prophètes et savait ce que le monde deviendrait après la résurrection, quand Christos régnerait sur le genre humain et sur toutes choses naturelles.

Lorsque Sélos s'est mis à parler, je n'ai pas reconnu sa voix. Elle était claire et vibrante et non plus servile, complaisante ou apeurée.

Sélos déclamait les yeux fermés, le visage tourné vers le soleil :

« Quand Christos régnera naîtront des vignes dont chacune contiendra dix mille ceps, et dans chaque cep il y aura dix mille bras, et dans chaque bras dix mille rejetons, et dans chaque rejeton dix mille grains, et chaque grain pressé donnera vingt-cinq mille mesures de vin.

« Et quand tu saisiras une des grappes, une autre criera : "Je suis meilleure, prends-moi ! Bénis Dieu à mon sujet."

« De même, chaque grain de froment produira dix mille épis, et chaque épi donnera dix mille grains, et chaque grain dix mille livres de farine.

« Il en sera de même pour les arbres fruitiers, pour les graines, pour les herbes, selon leurs propriétés particulières... »

Sélos s'est interrompu, a écarté les bras, et son corps dessinant ainsi une croix, il a ajouté :

« Et tous les animaux, usant pour nourriture des simples fruits de la terre, seront pacifiques, bienveillants les uns envers les autres, soumis et respectueux envers l'homme.

« Et celui-ci rendra grâce à Christos et sera purifié. »

24.

J'avais vu et entendu les chrétiens.

Je savais donc qu'ils ne se livraient ni à des festins de chair humaine, ni à des orgies nocturnes.

Mais je ne pouvais croire Eclectos lorsqu'il affirmait qu'un jour, un empereur viendrait qui reconnaîtrait Christos comme Dieu unique, et les chrétiens pour les meilleurs sujets de l'Empire.

Il était à nouveau assis sur le muret de la cour intérieure de ma demeure. Comme à son habitude, il tenait son long bâton à deux mains.

Je le regardais à la dérobée. Je ne voulais pas qu'il devine mon scepticisme. J'éprouvais de la compassion pour lui. Il me semblait être l'un de ces vieillards qui, au seuil de la mort, s'agrippent à un espoir.

Il me disait :

« Un jour, quand Dieu l'aura décidé, quand Il jugera que notre souffrance et notre sang, notre exemple et notre foi auront ensemencé le genre humain, un empereur écoutera la prière des chrétiens et priera lui-même. Il chassera les faux dieux, il renversera leurs statues. Il bâtira des églises pour célébrer Christos. »

Je murmurais :

« L'empereur ne renoncera jamais à être divinisé. Pourquoi veux-tu qu'il admette qu'il n'y a qu'un Dieu unique auquel il devrait lui aussi se soumettre ? Quel empereur brisera ainsi son glaive ? »

Peut-être Eclectos ne m'avait-il pas entendu ? Peut-être cherchait-il à sauvegarder son espérance ?

Il ne m'a pas répondu.

Il a continué à me parler du successeur de Trajan, Hadrien, l'empereur ondoyant et divers, l'artiste, le voyageur, le curieux de tout, qui avait accepté de lire des apologies du christianisme, construit d'innombrables temples laissés vacants, comme s'il avait voulu un jour les dédier à Christos et à la nouvelle religion.

Hadrien n'avait pas condamné les auteurs de ces éloges de Christos qui avaient pour noms Quadratus et Aristide. Ils avaient même été reçus au Palais impérial.

« J'étais un homme jeune, si jeune que j'avais encore la peau lisse des enfants, a dit Eclectos, mais je me souviens de Quadratus et d'Aristide, de leur exaltation. Ils pensaient que Hadrien s'était engagé sur le chemin de la foi chrétienne, et ils priaient pour lui afin qu'il avance encore... »

Eclectos s'est tu un long moment et je n'ai pas osé le regarder, devinant la déception qu'il avait dû éprouver et dont il se souvenait. Je craignais aussi qu'il ne lût dans mes yeux la satisfaction de celui qui pense avoir raison.

« Les temps n'étaient pas encore venus », a-t-il dit.

Sa voix n'était pas lasse, mais s'était faite plus sourde.

« Dieu a exigé que nous partagions Sa souffrance, que nous montrions aux hommes que notre foi était plus forte que la douleur et que la peur des supplices. Ainsi avons-nous continué à semer. Un jour, Dieu récoltera. »

Pourtant, Eclectos le reconnaissait, Hadrien s'était montré mesuré dans la répression, et plus tard son successeur Antonin, qu'il appelait le Pieux, avait agi de même.

Mais comment l'un et l'autre auraient-ils pu s'opposer à ces libelles contre les chrétiens qu'on leur adressait de toutes les provinces de l'Empire ?

Selon la loi, les délateurs obtenaient une partie des biens du condamné. On dénonçait donc. On calomniait ferme. On se réjouissait quand les légats impériaux, les magistrats envoyaient les chrétiens dans l'arène. On ajoutait le goût du spectacle à la satisfaction de l'avidité. Et les cris « Les chrétiens aux lions ! » ont continué de retentir par tout l'Empire.

« Hadrien comme Trajan, comme Antonin le Pieux, et comme ton empereur-philosophe, Marc Aurèle, a repris Eclectos d'une voix légèrement voilée, sont des persécuteurs qui se croient justes parce qu'ils torturent et tuent selon la loi. Écoute ce qu'écrit Hadrien au proconsul d'Asie : "Si des personnes de ta province ont, comme ils le prétendent, des griefs solides à alléguer contre les chrétiens, et qu'ils puissent soutenir leur accusation devant le tribunal, je ne leur défends pas de suivre la voie légale, mais je ne leur permets pas de s'en tenir à des pétitions et à des cris tumultuaires. En pareil cas, le mieux est que tu prennes toi-même connaissance de la plainte. Si quelqu'un donc se porte accusateur et démontre que les chrétiens commettent des infractions aux lois, ordonne même des supplices selon la gravité du délit. Mais, par Hercule, si quelqu'un dénonce calomnieusement l'un d'entre eux, punis le dénonciateur de supplices plus sévères encore, proportionnés à sa méchanceté !" »

Eclectos a fermé les yeux, appuyé son front à ses doigts entrecroisés autour du long bâton qu'il serrait entre ses genoux.

« Les empereurs nous ont frappés seulement pour notre foi en Christos. Et c'est parce que notre sang a été versé pour cela, parce que nos martyrs ont été suppliciés dans l'arène ou sur la croix sans autre raison que leur refus de renier Christos et de prier ou d'honorer un autre dieu, que nous serons un jour reconnus par un autre empereur et par les citoyens de l'Empire. Nous avons choisi de nous laisser égorger pour témoigner. Notre volonté de ne pas combattre Rome est et sera notre force. »

Il s'est redressé et a repris :

« Ceux qui ont voulu se défendre, proclamer leur fidélité à leur Dieu unique avec les armes de Rome, donc par la voie de la guerre, ceux-là ne seront jamais reconnus par un empereur. Les légions de Hadrien, je te l'ai déjà dit, on fait de la Judée un désert. Et les Juifs qui avaient suivi Bar Kochba ont non seulement été tués par dizaines de milliers durant les combats dans les monts de Judée, autour de la forteresse de Béthar, mais massacrés dans leurs maisons, égorgés après la bataille, traqués, affamés, contraints pour survivre de dévorer les cadavres de leurs proches. Regarde les Juifs aujourd'hui ; ce ne sont plus que des mendiants à Rome et dans les autres villes de l'Empire. Voilà ce qu'il leur en a coûté de ne pas accepter la souffrance et l'enseignement de Christos, juif comme eux, pourtant. Je prie pour les Juifs, Priscus. Ils sont ce qu'il reste du peuple que Dieu avait élu. Je prie pour qu'ils reconnaissent Christos comme le fils de Dieu, son Messie, l'incarnation de Dieu Lui-même. »

25.

J'ai voulu ébranler la foi de cette âme chrétienne qui priait, sûre d'elle, si forte dans ce vieux corps frêle.

J'ai dit à Eclectos en me penchant vers lui, mes lèvres frôlant ses cheveux et son oreille comme si j'avais craint qu'il ne m'entendît pas :

« Connais-tu Lucien ? »

Il m'a regardé, surpris.

« L'écrivain, le philosophe, ai-je poursuivi. Mon maître en sagesse, Marc Aurèle, me l'a fait découvrir. Veux-tu entendre ce qu'il écrit ? »

Eclectos est resté impassible comme s'il n'avait pas compris ma question.

« Moi, je t'écoute avec attention, ai-je ajouté. Mais toi qui est prêt à offrir ton corps aux bêtes, oseras-tu affronter la pensée d'un homme qui ne partage pas ta foi ? Tu n'as pas peur du supplice, mais peut-être crains-tu le doute quand il s'introduit et s'enfonce dans l'âme ? »

Eclectos a souri et, d'une inclinaison de tête à peine esquissée, m'a invité à lire.

J'ai prononcé les premiers mots d'une voix mal assurée.

« Ces imbéciles de chrétiens... »

Je me suis interrompu.

« Va, va ! », m'a encouragé Eclectos.

« Ces imbéciles de chrétiens, ai-je repris, sont persuadés qu'ils sont absolument immortels, qu'ils vivront éternellement ; ce qui fait qu'ils méprisent la mort, et beaucoup d'entre eux s'y offrent d'eux-mêmes. Leur premier législateur, Paul, un juif de Tarse, les a persuadés qu'ils sont tous frères les uns des autres du moment que, reniant les dieux d'Athènes et de Rome, ils adorent Christos le Crucifié et vivent selon ses lois. Ils n'ont donc que du dédain pour les biens terrestres, et ils les tiennent pour appartenant en commun à tous. »

Je me suis arrêté.

« C'est tout ? », a demandé Eclectos.

J'ai secoué la tête.

« Lucien ajoute : "Inutile de dire que ces chrétiens n'ont pas une raison sérieuse de croire tout cela." »

J'ai montré le livre qui racontait la vie du philosophe Pérégrinus, à la fois cynique et chrétien, qui voulait mourir en martyr non pour prouver sa foi, mais pour rendre son nom célèbre, par vanité, et qui, devant le refus du gouverneur de Syrie de le condamner, s'était immolé lui-même devant la foule assemblée pour les jeux.

« Mort théâtrale, Eclectos ! Et s'il en allait de même pour la plupart de ces martyrs dont tu me parles, pour cet Ignace dont j'ai lu la lettre avec émotion mais qui n'a peut-être recherché lui aussi qu'un suicide ostentatoire ? Que valent ces morts-là, que prouvent-elles, sinon le fol orgueil de ceux qui les choisissent, qui se donnent en fait la mort par la main d'autrui ? »

Eclectos a cessé de sourire. Son visage était douloureux, son front strié de rides, ses yeux mi-clos.

« N'ajoute pas la torture de la calomnie à la souffrance des martyrs. Je vais te parler de l'un d'eux dont Lucien a pillé la vie pour donner à son récit, au destin de son Pérégrinus, un peu de chair et de vérité en sorte que son mensonge puisse tromper les naïfs comme toi, Priscus. Peut-être, après m'avoir entendu, ne répéteras-tu plus les mots de Lucien avec délectation ? »

Eclectos s'est appuyé à la colonne de porphyre, a entrepris d'évoquer la vie et la mort de Polycarpe, ce chrétien de Smyrne dont le nom était connu dans toutes les provinces de l'Empire.

« Quand je l'ai rencontré, a poursuivi Eclectos, Polycarpe était un vieil homme plus âgé que je ne le suis. Il avait dans sa jeunesse côtoyé l'apôtre Jean et d'autres témoins de la vie de Christos.

« Lorsqu'il a séjourné à Rome en compagnie d'un jeune Grec que je connaissais, Irénée, tous les chrétiens de la ville, d'autres venus de la Cisalpine, de la Gaule et des provinces du Danube se sont rassemblés autour de lui afin de l'entendre nous répéter les paroles de Christos que l'apôtre Jean et les autres témoins de la vie du Messie en Galilée lui avaient rapporté.

« Quand il parlait, il m'a semblé entendre la voix de Christos.

« Puis il a regagné Smyrne. Je suis resté à Rome en compagnie d'Irénée et nous avons porté et répandu la parole que nous avions reçue de Polycarpe.

« Un jour, un chrétien venu d'Asie nous a conté les derniers mois de la vie de Polycarpe. À son retour de Rome, le rayonnement de sa foi, son autorité étaient si grands que les conversions à la foi de Christos se multipliaient. Certains nouveaux chrétiens, exaltés, se dénonçaient eux-mêmes auprès du proconsul afin d'être suppliciés et, croyaient-ils, de rejoindre ainsi Christos. Sache, Priscus, que Polycarpe ne le voulait pas, qu'il condamnait ce suicide par orgueil. L'un de ces chrétiens, Quintus, qui avait le plus haut clamé sa foi afin qu'on lui infligeât le supplice et la mort, quand vint le moment d'affronter les bêtes fauves se renia, tremblant de peur, reconnaissant la divinité de l'empereur, sacrifiant aux dieux de Rome et, apostat, sauvant ainsi sa vie.

« Christos avait voulu par là montrer à tous que Lui seul choisit ceux qui doivent le rejoindre.

« Il y eut onze martyrs qui ne se renièrent pas. Les fouets les déchirèrent, mirent leurs veines et leurs artères à nu. On les traîna sur le sable de l'arène composé de coquillages tranchants et pointus comme des lames. On les livra enfin aux bêtes et on brûla ce qui restait de leurs membres.

« Pas un ne devint apostat. L'un d'eux, du nom de Germanicus, auquel le proconsul, ému par son jeune âge, proposa plusieurs fois de renoncer à proclamer sa foi et d'échapper ainsi à la mort, excita même les bêtes pour qu'elles l'arrachent plus vite à ce monde.

– Froment de Dieu, ai-je murmuré.

– De bon grain, a acquiescé Eclectos. Le meilleur, tamisé par Dieu. La foule, sur les gradins, hurlait sa rage. Elle ne voulait pas seulement la mort des chrétiens, elle souhaitait qu'ils s'avilissent. Elle a hurlé : “À mort, les athées ! Aux lions, les chrétiens !” Puis elle a lancé le nom de Polycarpe. Les païens grecs, syriens ou romains, les Juifs le haïssaient. Il fallait qu'il périsse ! »

Eclectos a baissé la tête.

« Tu le constates, Priscus, Polycarpe n'a pas recherché le martyre. Il s'était même retiré dans sa maison hors de la ville. Mais quand les soldats sont venus l'arrêter, il n'a pas fui. “Que la volonté de Dieu soit faite”, a-t-il dit. Plus tard, des magistrats tentèrent de le persuader de sauver sa vie : “Quel mal y a-t-il donc à faire un sacrifice aux divinités ou à reconnaître que l'empereur doit être honoré comme un dieu ?” D'autres, dans les derniers instants, avant qu'il n'entre dans l'arène, ont encore essayé de le convaincre : “Au nom du respect que tu dois à ton âge, jure par la fortune de César, crie comme tout le monde : Plus d'athées !” Le proconsul lui a répété : “Insulte Christos et renie-le, et tu auras la vie sauve”. Il a simplement répondu : “Je suis chrétien”.

« La foule hurlait : “Aux bêtes, au feu, le destructeur de nos dieux, celui qui enseigne à ne pas sacrifier, à ne pas adorer, et qui attire sur nous les maléfices !”

« Il était trop tard pour lancer un lion contre lui.

« Les jeux des bêtes étaient clos, la foule demanda donc à ce qu'on brûlât Polycarpe. Elle alla chercher elle-même dans les boutiques et les thermes du bois et des fagots.

« Polycarpe refusa de se laisser clouer sur le bûcher. “Laissez-moi ainsi”, aurait-il dit... »

Eclectos s'est interrompu, puis, la gorge nouée, a repris :

« Les chrétiens de Smyrne qui pleuraient dans la foule l'ont entendu, et pourquoi ne les croirais-je pas ? Polycarpe a donc dit : “Celui qui me donne la force de supporter le feu m'accordera aussi celle de rester immobile sur le bûcher sans qu'il soit besoin pour cela de vos clous !” »

Le Grec a longuement prié et j'ai suivi, sans entendre sa voix, le mouvement de ses lèvres. Puis il a dit :

« Polycarpe a été le pur pain de Christos. Il m'a nourri, tout comme il a nourri Irénée et ceux qui se rassemblent autour de nous, à Rome, ici dans ta demeure, et à Capoue, ou à Lugdunum. Tout comme il nourrit encore les chrétiens d'Asie qui viennent se recueillir sur les pentes du mont Pagus, face à la mer, là où se trouve le stade dans lequel lui et les autres chrétiens ont connu le martyre... »

Eclectos s'est levé et a conclu :

« Comment peux-tu imaginer que mon âme soit un jour percée par le clou du doute ? »

26.

Mon âme, elle, demeurait la proie du doute.

Je restais sur le bord de la foi chrétienne sans oser m'enfoncer en elle.

Je lisais dans la bibliothèque à la lumière des lampes qui brûlaient jour et nuit. La fumée des mèches qui se consumaient s'accumulait dans cette petite pièce, créant une sorte de halo, presque de brume, qui convenait à mon humeur incertaine.

J'avais pourtant l'intuition que si je m'étais abandonné à la croyance, immergé dans la foi, j'aurais connu la paix, la joie, ce bonheur des certitudes que je lisais chaque jour sur les visages d'Eclectos, de Doma et de Sélos, ou sur ceux de ces esclaves anonymes dont le regard illuminé me faisait penser qu'ils étaient chrétiens, convertis par la parole d'Eclectos.

Mais je refusais cette adhésion, ce baptême.

Je me plongeais dans les livres de Celse, un philosophe ami de Lucien.

J'éprouvais une amère délectation à répéter les propos qu'il prêtait aux chrétiens :

« Quiconque est sans intelligence, quiconque est

faible d'esprit, en un mot quiconque est misérable, qu'il approche : le royaume de Dieu est pour lui ! »

Je n'étais ni esclave ni affranchi, encore moins dupe pour rejoindre ce troupeau de croyants, celui des disciples de Christos.

Celse ajoutait :

« Quel homme de jugement peut se laisser prendre à une doctrine aussi ridicule ? Il suffit de regarder la foule qui l'embrasse pour la mépriser. Leurs maîtres ne cherchent et ne trouvent pour disciples que des hommes sans intelligence et d'un esprit épais. Ils s'efforcent de rendre la conscience suspecte, la sagesse coupable. Ces maîtres qui prêchent au nom de Christos déclarent : “Les sages repoussent notre enseignement, égarés et empêchés qu'ils sont par leur sagesse.” »

Je partageais les conclusions de Celse qui accablaient les chrétiens : « On dirait des gens ivres qui, entre eux, accuseraient les hommes sobres d'être pris de vin, ou des myopes qui voudraient persuader des myopes comme eux que ceux qui ont de bons yeux n'y voient goutte ! »

Il me semblait qu'entre Celse, Lucien et Marc Aurèle, une alliance se nouait en moi, à laquelle j'associais Épictète. Marc Aurèle estimait cet ancien esclave phrygien affranchi, devenu philosophe, secrétaire d'un proche de Néron, puis chassé de Rome par Domitien, le « Néron chauve ». Les propos de ces auteurs dessinaient une sagesse qui valait bien les autres croyances et la foi en Christos.

Épictète osait regarder la mort en face et il me semblait d'autant plus héroïque qu'il n'invoquait jamais, pour l'affronter et l'accepter, la résurrection, cette grande espérance qui faisait briller les yeux des chrétiens et leur permettait de supporter les supplices, de se précipiter dans la souffrance comme si leur croyance les y rendait insensibles.

Épictète écrivait :

« Y a-t-il une autre fin que la mort ? As-tu bien dans l'esprit que le principe de tous les maux, pour l'homme, de la bassesse, de la lâcheté, ce n'est pas la mort, mais plutôt la crainte de la mort ? Exerce-toi contre elle ; qu'à cela tendent toutes tes paroles, tes études, tes lectures, et tu sauras que c'est le seul moyen, pour les hommes, de devenir libres. »

Ces lectures m'exaltaient.

Ce faisant, je ne m'éloignais pas seulement de Christos, mais aussi de ces naïfs que dupaient les magiciens, les devins, tous ces imposteurs.

Je me moquais avec Lucien de ces habitants de Cappadoce, bientôt rejoints par des milliers d'autres venus de la Phrygie voisine, de la Cilicie ou de la Syrie, qui avaient cru qu'un charlatan du nom d'Alexandre, installé dans la ville d'Abonotique, était un nouveau dieu. Ils avaient écouté ses oracles, s'étaient prosternés devant lui qui avait enroulé autour de sa poitrine et de son cou un serpent apprivoisé, et avait caché son visage sous un masque de toile peinte représentant la gueule énorme d'un reptile.

Telle était donc la crédulité des hommes, des plus hauts magistrats romains, légat de Cappadoce et consul, venus eux aussi adorer l'imposteur. Et celui-ci avait suscité la persécution de ceux des citoyens qui refusaient de croire à sa divinité.

Et ceux-là étaient aussi bien athées, juifs, que chrétiens.

Mais ces derniers n'étaient-ils pas eux aussi des naïfs, victimes d'un imposteur, d'un magicien qui avait accompli ses miracles en utilisant des tours et sciences secrètes qu'il avait appris en Égypte ? Et sa mère, qu'était-elle d'autre qu'une femme ayant commis l'adultère avec un soldat, et que son mari charpentier avait chassée ?

Je lisais ces phrases de Celse, troublé, inquiet et en même temps grisé comme on peut l'être après avoir abusé d'un alcool. Il osait se moquer du Dieu unique :

« Juifs et chrétiens me font l'effet d'une troupe de chauves-souris ou de fourmis sortant de leur trou, ou de grenouilles établies près d'un marais, ou de vers tenant séance dans les coins d'un bourbier. Ils se disaient entre eux : “C'est à nous que Dieu révèle et avance toute chose ; Il n'a aucun souci du reste du monde ; Il laisse les Cieux et la Terre rouler à leur guise pour ne s'occuper que de nous. Nous sommes les seuls êtres avec lesquels Il communique par des messagers, les seuls avec lesquels Il désire s'associer, car Il nous a faits semblables à Lui. Tout nous est subordonné, la terre, l'eau, l'air et les astres, tout a été fait pour nous et destiné à notre service, et c'est parce qu'il est arrivé à certains d'entre nous de pécher que Dieu Lui-même viendra ou enverra Son propre fils pour brûler les méchants et nous faire jouir avec Lui de la Vie éternelle." »

Je ricanais, j'approuvais.

Celse contestait la résurrection, interpellait les chrétiens :

« Il faudrait peut-être examiner d'abord si jamais homme réellement mort est ressuscité avec le même corps ! Pourquoi traiter les aventures des autres de fables sans vraisemblance, comme si l'issue de votre tragédie avait bien meilleur air et était plus croyable, avec le cri que votre Christos jeta du haut du poteau en expirant, le tremblement de terre et les ténèbres ? Vivant, il n'avait rien pu faire pour lui-même ; mort, dites-vous, il ressuscita... De son vivant, il se prodigue ; mort, il ne se fait voir en cachette qu'à une femmelette et à ses comparses. Son supplice a eu d'innombrables témoins, sa résurrection n'en a eu qu'un seul. C'est le contraire qui aurait dû avoir lieu...

« Vous vous donnez pour Dieu un personnage qui a fini par une mort misérable une vie infâme ! »

J'ai frissonné en lisant cette dernière phrase.

J'avais le sentiment qu'elle me souillait et appelait sur moi la vengeance de Christos.

J'ai eu froid. Ma peau s'est hérissée, mes yeux se sont brouillés. Il me semblait ainsi que je trahissais Eclectos, Doma, Sélos, tous les chrétiens qui vivaient dans ma demeure et qui croyaient à ma bienveillance.

Je les abandonnais. Je me comportais comme un accusateur, un délateur, l'allié de Celse qui m'apparaissait tout à coup plein d'une morgue cruelle et méprisante.

Il disait aux Juifs et aux chrétiens : « Vous ne prétendez sans doute pas que les Romains abandonnent leurs divinités pour embrasser votre croyance en votre Dieu unique ? Votre Dieu n'a pas su défendre ceux qui croient en Lui ! Les Juifs ne possèdent plus une motte de terre et vous, chrétiens, traqués de toutes parts, errants, vagabonds, réduits à un petit nombre, on vous cherche pour en finir avec vous ! »

Il menaçait, souhaitait des persécutions plus sauvages encore :

« Un pouvoir éclairé et plus prévoyant vous détruira de fond en comble plutôt que de périr lui-même. »

J'ai compris que cette violence dissimulait sa peur quand j'ai lu l'appel qu'il avait lancé à ces croyants dont il s'était moqué, qu'il avait méprisé, menacé.

Brusquement, il leur demandait de demeurer fidèles à l'Empire. Il décrivait Rome menacée par les peuples barbares, contrainte d'enrôler dans ses légions des gladiateurs et des esclaves. Il s'écriait :

« Chrétiens, soutenez l'empereur de toutes vos forces, partagez avec lui la défense du droit, combattez pour lui si les circonstances l'exigent, aidez-le dans le commandement de ses armées ! Pour cela, cessez de vous dérober aux devoirs civils et au service militaire, prenez votre part des fonctions publiques, s'il le faut, pour le salut et la cause de la piété ! »

J'ai relu plusieurs fois cet appel au secours.

C'était comme l'écho des propos que m'avait tenus Eclectos lorsqu'il avait prédit qu'un jour, après tant de princes persécuteurs et monstrueux, après les règnes de l'Antéchrist et de la Bête, un empereur s'avancerait sur le chemin de la foi en un Dieu unique.

Rome serait alors devenue le cœur d'un Empire chrétien.

27.

J'ai fermé les livres et marché aux côtés d'Eclectos le chrétien.

À chaque pas il plantait fermement son bâton dans la terre. Il s'immobilisait souvent, se tournait vers moi, m'écoutait, les yeux mi-clos. Je lui rapportais ce que j'avais lu.

Il m'a dit :

« Viendra le temps d'un Empire chrétien, mais la route sera encore longue, et elle sera bordée par les croix des suppliciés, les tombeaux des martyrs... »

Il a fait encore quelques pas le long de cette allée qui conduisait à la clairière aux sept cyprès, à l'extrémité du jardin de ma demeure.

J'ai aperçu le petit groupe des croyants qui, rassemblés autour de Doma et de Sélos, l'attendaient. C'est là qu'il prêchait chaque jour.

Tout à coup, il a levé son bâton, l'a secoué comme s'il voulait frapper quelqu'un qui se serait trouvé devant lui.

« Il n'est pas d'autre chemin que le martyre, a-t-il martelé. C'est la souffrance et le sang de nos frères et sœurs qui contraindront l'empereur a reconnaître notre foi, car le sang de chaque supplicié fait lever une moisson de nouveaux chrétiens ! »

Il s'est tourné vers moi, son bâton toujours brandi.

Après le martyre de Polycarpe, m'a-t-il dit, les conversions s'étaient multipliées dans toutes les provinces d'Asie, en Syrie, en Galilée et jusqu'à Alexandrie. Le courage de Polycarpe avait frappé tant de païens qu'ils voulaient tous recevoir le baptême. Les légats impériaux et les proconsuls avaient ordonné l'arrêt des supplices afin d'endiguer ce flot. Durant quelques mois, les chrétiens avaient pu vivre dans la paix de leur foi.

Penché vers moi, du bout de son bâton, Eclectos m'a touché l'épaule.

« Mais, Julius Priscus, tu ne peux pas connaître cela. Tu n'as pas chassé les démons qui t'habitent. Tu refuses l'eau pure du baptême. Tu te complais dans le marécage. Tu te vautres dans les mensonges et les imprécations de Celse et de Lucien, ou la grise et pauvre sagesse d'Épictète et de ton Marc Aurèle. Tu admires cet empereur, tu t'abreuves de ses pensées courtes. Pense aux chrétiens de Lugdunum qu'il a envoyés aux bêtes ! Ose te souvenir ! Et sache qu'aucun empereur ne viendra de lui-même vers Christos, et donc vers la vérité. Il continuera d'honorer les divinités de Rome. Il créera même de nouveaux dieux au gré de ses penchants. Car l'empereur imagine qu'il a le pouvoir de donner naissance à des dieux. »

Il a frappé à petits coups de bâton sur mon épaule.

« J'ai vu cela. Hadrien, l'un des plus mesurés parmi

les empereurs, quand son favori Antinoüs s'est noyé dans le Nil, a décidé que ce jeune Bithynien qui lui avait donné tous les plaisirs de la chair prendrait rang parmi les dieux. Et il a fait construire au bord du fleuve un temple pour honorer son amant. Le culte d'Antinoüs y est encore célébré, et une ville est née autour de cet édifice. Veux-tu que nous, disciples de Christos le Crucifié, le Ressuscité, nous nous y inclinions, nous priions Antinoüs, cet homme divinisé, cette idole née de la passion charnelle et donc dans le lit de l'empereur Hadrien ? »

Eclectos s'est remis à marcher et j'entendais déjà le murmure des prières qui s'élevait dans la clairière aux sept cyprès.

« N'oublie jamais, Priscus, a-t-il repris, que l'empereur, même celui qui te semblera le plus sage, essaiera d'abord de tuer ceux qui ne le reconnaîtront pas pour Dieu. Et nous serons ceux-là. La persécution nous frappera donc jusqu'à ce que l'empereur découvre qu'il ne pourra ni anéantir, ni pervertir la foule des croyants. Alors seulement il se tournera vers Dieu et écoutera Sa parole. Ainsi Dieu l'avertira : "Arrache Rome aux pires destins, sinon l'épée et le désastre tomberont sur toi !" Et l'Empereur se convertira. »

Je me suis arrêté au bord de la clairière, entre les arbres.

Eclectos a tendu son bâton vers les croyants qui, bras entrelacés, formaient cercle.

« Viens parmi nous, a murmuré Eclectos. Accepte les mains qui s'offrent à toi. »

J'ai reculé, heurté le tronc d'un des cyprès.

Eclectos m'a regardé, le visage d'abord sévère, puis il m'a souri.

« Un jour prochain, tu entreras dans notre assemblée. Tu seras dans le cercle parmi nos frères et nos sœurs. »

Il a fait un pas, m'a serré contre lui et embrassé.

« Je prie pour toi, Priscus », a-t-il murmuré.

CINQUIÈME PARTIE

28.

Je me suis éloigné de cette clairière où se réunissaient les adeptes de l'Église chrétienne.

J'ai d'abord marché vite, tête baissée, pour fuir le désir, que je sentais monter en moi, de joindre ma voix à leurs prières.

Puis, quand je n'ai plus entendu que le murmure de la brise froissant les branches des lauriers et des oliviers, j'ai eu la tentation de revenir sur mes pas, de courir, même, vers ces bras qui se seraient ouverts, ces corps que j'aurais embrassés, cette chaleur qui aurait chassé le froid qui me faisait frissonner.

J'étais seul. La nuit gagnait inexorablement.

Il m'a semblé que mon corps oscillait, que j'allais chanceler, tomber bras en croix, serrer contre moi la terre, implorer ce Dieu nouveau, Christos, ce Seigneur tout-puissant et miséricordieux, ainsi que le nommait Eclectos.

Je savais qu'Il donnait la force d'affronter le supplice, de supporter sans un cri la souffrance, de choisir la mort afin de Le rejoindre et de se fondre en Lui.

J'ai cru plusieurs fois que j'allais succomber.

Et pourtant j'ai repris ma marche vers ma demeure.

C'était comme si, au moment de céder, l'orgueil en moi s'était rebellé.

N'avais-je tant vécu, moi, Julius Priscus, qui avait côtoyé sa vie durant Marc Aurèle, qui avait recueilli ses propos, lu, relu, médité son livre de sagesse, ses pensées, devais-je me conduire comme mes esclaves, mes affranchis, ces femmes, ces vieux, héroïques seulement parce qu'ils croyaient en la résurrection ?

Mon corps s'était cambré comme s'il avait été fouetté.

Je retrouvais les mots de Marc Aurèle :

« L'homme doit vivre selon la nature pendant le peu de jours qui lui sont donnés sur terre, et quand le moment de la retraite est venu, se soumettre avec douceur, comme une olive qui, en tombant, bénit l'arbre qui l'a produite et rend grâce au rameau qui l'a portée. »

Avec une détermination nouvelle, j'ai martelé les dalles qui recouvraient l'allée à proximité de ma demeure.

« Au-dedans de toi, avait encore dit Marc Aurèle, sois un être viril, mûri par l'âge, ami du bien public, un Romain, un empereur, un soldat à son poste attendant le signal de la trompette, prêt à quitter la vie sans regret. »

J'étais un Romain.

Je n'allais pas renoncer à ce courage lucide que j'avais tant admiré chez Marc Aurèle et que je m'étais promis d'essayer d'égaler.

La proximité de la mort ne pouvait m'y faire renoncer.

Je devais refuser de m'enfouir dans cette douceur chrétienne, cette consolation qu'elle apportait à ceux qui croyaient en Christos. Il fallait accepter son sort et ne pas se griser d'illusions ni de superstitions.

« Tout ce qui t'arrange, m'arrange, ô Cosmos ! Rien ne m'est prématuré ni tardif de ce qui, pour toi, vient à l'heure. Je fais mon fruit de ce que portent tes saisons, ô Nature ! De toi vient tout ; en toi est tout ; vers toi va tout. »

Je suis entré dans la bibliothèque et ai ordonné aux esclaves d'allumer toutes les lampes.

J'ai placé devant moi sur l'écritoire les *Pensées* de Marc Aurèle.

« Ô homme, tu as été citoyen dans la grande cité », ai-je commencé à lire.

Chacun de ces mots s'adressait à moi. Je retrouvais la voix un peu voilée de l'empereur :

« Que t'importe d'avoir été citoyen pendant cinq ou pendant trois années ? Ce qui est conforme aux lois n'est injuste pour personne. Qu'y a-t-il donc de si fâcheux d'être renvoyé de la cité non par un tyran, par un juge inique, mais par la nature même qui t'y a fait entrer ? C'est comme si un comédien est congédié du théâtre par le même prêteur qui l'y a engagé. Mais, diras-tu, "Je n'ai pas joué les cinq actes, je n'en ai joué que trois." Tu dis bien mais, dans la vie, trois actes suffisent pour faire la pièce entière. Celui qui marque la fin est celui qui, après avoir été cause de la combinaison des éléments, est maintenant cause de leur dissolution ; tu n'es pour rien ni dans l'un ni dans l'autre de ces faits.

« Pars donc content, car celui qui te congédie est sans colère. »

Je savais jouer le dernier acte de ma vie.

J'allais être congédié.

Et j'ai voulu revivre la pièce entière.

Je l'avais interprétée comme un aveugle qui tâtonne, qui renverse des objets, bouscule des êtres sans savoir qui ils sont. Et peut-être en brise-t-il certains.

Mais il continue d'avancer sans mesurer le chemin qui lui reste à parcourir, ignorant ce qu'il laisse derrière lui et aussi ce qui s'annonce.

Il me semblait qu'enfin j'avais ouvert les yeux, que je devais me retourner, connaître ce que j'avais vécu.

Peut-être d'ailleurs ne pouvait-on comprendre sa vie et l'ordre du monde qu'à l'instant où l'on s'apprêtait à disparaître, et l'on voyait alors, comme d'un sommet enfin atteint, tout le paysage et ce qu'on avait accompli, les visages croisés, les passions éprouvées, les douleurs et les ruines provoquées.

L'on pouvait nommer, ordonner ce qu'on avait à peine effleuré du bout des doigts, les yeux mi-clos, et ce qu'on avait piétiné, ignoré.

Il était temps pour moi de tout voir, parce que j'arrivais au bout du monde, au terme de ma vie ; si je comprenais ce que j'avais vécu, je saurais ce qui m'attendait.

« Quoi, s'était exclamé Marc Aurèle, la lumière d'une lampe brille jusqu'au moment où elle s'éteint, et ne perd rien de son éclat, et la Vérité, la Justice, la Tempérance qui sont en toi s'éteindraient avec toi ? »

Il avait répondu en sage qui se soumet à l'échéance naturelle et ne veut être rassuré par aucune illusion, aucune superstition, aucune croyance.

Eclectos, lui, puisait dans sa foi la certitude de l'espérance en la résurrection. La mort n'était plus qu'un passage vers lequel il se hâtait.

Et moi ? Qu'allais-je répondre à la question de Marc Aurèle ?

J'oscillais, j'étais divisé.

Il me fallait ouvrir ma vie, fouiller dans ses entrailles.

« Ose te souvenir », m'avait dit Eclectos.

J'ai relevé le défi.

J'ai écrit pour comprendre ma vie, la retenir alors qu'elle s'éloignait déjà. Et savoir ainsi si je me trouvais du côté du désespoir ou de l'espérance.

29.

C'était le premier jour du mois de mars, il y avait vingt-deux ans.

Je vivais à Rome aux côtés de Marc Aurèle, fils adoptif de l'empereur Antonin le Pieux et son successeur désigné.

J'étais son aîné de quatre ans, mais je le considérais comme mon maître, non pas seulement parce qu'il était destiné à devenir l'empereur du genre humain mais parce que, dès l'adolescence, j'avais admiré son savoir et sa sagesse.

Je l'écoutais avec attention et respect, mais j'étais plus sensible à sa voix grave et voilée qu'aux mots qu'elle portait.

Ce n'est qu'aujourd'hui, relisant le livre où sont rassemblées ses *Pensées*, que j'apprécie la chair et le suc de ce qu'il me disait.

« Agis, parle et pense comme si maintenant tu pouvais cesser de vivre », me répétait-il en ce premier jour de mars alors que nous venions d'apprendre que l'empereur Antonin, qui résidait sans sa propriété de Lori, ne s'était pas levé.

Antonin s'était tourné de côté comme s'il avait voulu cacher son visage aux traits creusés par la souffrance. Il avait plusieurs fois étouffé des gémissements, mais son corps s'était recroquevillé. Il avait serré les poings, les écrasant contre sa bouche, avait replié ses jambes, ses coudes touchant ses cuisses, comme s'il avait voulu, ainsi roulé en boule, donner moins de prise à la douleur.

Mais, dans sa chambre, ses médecins, ses tribuns, ses prétoriens, ses esclaves avaient pensé que la mort était entrée en lui et qu'elle allait le vaincre, parce qu'il avait soixante-quatorze ans et qu'elle était semblable à l'empire des Parthes. On pouvait le contenir – et Antonin le Pieux l'avait fait sur la frontière d'Arménie –, mais on ne pouvait le terrasser.

Le tribun Pollus Maximus nous avait rapporté cette nouvelle et annoncé qu'Antonin le Pieux avait ordonné qu'on plaçât la statue d'or de la Fortune, qui l'avait toute sa vie protégé, dans la chambre de son fils adoptif. Et avant que Marc Aurèle eût répondu, le tribun avait fait entrer les esclaves portant à huit la statue posée sur une épaisse dalle de marbre noir.

Puis Pollus Maximus s'était retiré et Marc Aurèle, assis en face de la sculpture, le front dans ses mains, avait parlé si bas, comme pour lui-même, que je m'étais approché, m'asseyant à ses pieds comme un disciple. Mais je n'étais qu'un homme jeune, écervelé, qui ne pouvait entendre ce que Marc Aurèle chuchotait.

« La durée de la vie humaine ? Un point. Sa substance ? Fuyante. La sensation ? Obscure. Le composé corporel dans son ensemble ? Prompt à pourrir. L'âme ? Un tourbillon. Le sort ? Difficile à deviner. La réputation ? Incertaine. Pour résumer, au total, les choses du corps s'écoulent comme un fleuve ; celles de l'âme ne sont que songe et fumée. La vie est une guerre et un séjour étranger ; la renommée qu'on laisse, un oubli. Qu'est-ce qui peut la faire supporter ? Une seule chose : la philosophie. »

En ce temps-là de ma jeunesse, je ne lisais ni Sénèque ni Épictète. Je préférais chevaucher dans les environs de Rome ou séjourner dans ma demeure de Capoue et demander à Sélos, mon régisseur, qui n'avait pas encore ses cheveux blancs, d'acheter pour moi quelques esclaves venues d'Orient, vierges, aux seins ronds et lourds, au corps épilé et aux cheveux longs.

Mais j'aimais Marc Aurèle. J'aimais l'entendre me dire :

« Ce que je suis ? Ce que tu es ? Ce qu'est tout homme : chair et souffle vital. Mais le sage ajoute, parce qu'il est philosophe : raison. »

Le mot « philosophie » bourdonnait à mes oreilles. J'interrogeais l'empereur qui répondait :

« Apprends d'abord, Priscus, que le présent est l'unique chose dont on puisse être privé, puisque c'est la seule qu'on possède, et que l'on ne perd pas ce que l'on n'a pas. Le plus long et le plus court reviennent au même. Car le présent est égal pour tous, est donc égal aussi à ce qui périt, et la perte apparaît ainsi comme instantanée, car on ne peut perdre ni le passé ni l'avenir. »

J'écoutais. Je ne comprenais pas. Ou plutôt je ne vivais que dans le présent des courses au galop, des exercices au maniement des armes, des plaisirs de la chair.

Le passé ? L'avenir ? Pourquoi s'en soucier, en effet ?

La mort était plus lointaine pour moi que l'empire des Parthes. Il existait une frontière. Des légions y campaient. Des légats, des tribuns, des centurions y combattaient et y mouraient. Mais moi, qu'avais-je à faire avec cette guerre ? J'étais à Rome, dans le Palais impérial, là où palpitait le cœur de l'Empire. J'écoutais Marc Aurèle qui bientôt gouvernerait le genre humain.

Et je m'étonnais qu'il me parlât de la mort.

« Il n'y a rien de redoutable en elle, disait-il. Elle n'est rien que la dissolution des éléments dont tout être vivant se compose ; s'il n'y a rien de redoutable pour les éléments à se transformer continuellement, pourquoi craindrait-on le changement et la dissolution totale ? Car c'est conforme à la nature, or nul mal n'est conforme à la nature. »

Il avait dit cela.

Mais, le septième jour du mois de mars, à la fin de l'après-midi, le tribun Pollus Maximus s'est avancé vers nous, tête baissée, la démarche lente, comme écrasé par une lourde charge.

Il s'est arrêté à deux pas de Marc Aurèle et a murmuré :

« *Aequanimitas* : voilà le dernier mot prononcé par l'empereur. »

J'ai vu le visage de Marc Aurèle se contracter, sa peau blêmir, son corps se voûter.

L'empereur, poursuivit Pollus Maximus, avait fait preuve, tout au long de ces sept jours d'agonie, de cette égalité d'âme qu'il invoquait au moment de sa mort. On ne pouvait le comparer qu'au grand Numa Pompilius, deuxième roi de Rome, lui aussi souverain pieux qui avait respecté les lois divines et dont Antonin s'était inspiré et avait célébré le souvenir quand il avait organisé des fêtes pour le neuf centième anniversaire de la fondation de Rome.

Puis Pollus Maximus s'était incliné devant Marc Aurèle et avait prêté serment au nouvel empereur du genre humain.

Il avait ajouté que, sur les frontières, les Barbares que les légions avaient repoussés, maintenus loin du mur que l'empereur Hadrien avait fait élever afin de protéger les provinces de l'Empire, allaient sans doute se remettre en marche.

« Les Parthes vont essayer de franchir la frontière d'Arménie parce que la mort a vaincu Antonin le Pieux.

– Nous ferons la guerre et je serai à la tête des légions », a répondu Marc Aurèle.

Pollus Maximus lui a pris les mains et, s'agenouillant, les a embrassées.

L'empereur a contraint le tribun à se relever, puis a quitté la pièce.

Aujourd'hui je sais ce qu'il a pensé en devenant empereur du genre humain, en annonçant d'ores et déjà qu'il conduirait la guerre, lui qui s'était toujours montré homme d'études et de méditation, qui n'avait jamais été attiré par les combats, manifestant son mépris pour les jeux de l'arène, contraint de les laisser se poursuivre et même d'y assister, mais détournant la tête pour ne pas voir les égorgements, et refusant souvent de les ordonner.

J'ai devant moi la page qu'il a écrite en ce septième jour de mars.

« L'empereur Marc Aurèle à lui-même », l'intitule-t-il.

« Prends garde de te césariser, de perdre ce qui est ta couleur. Conserve-toi simple, bon, pur, grave, ennemi du faste, ami de la justice, religieux, bienveillant, humain, ferme dans la pratique des devoirs. Concentre tous tes efforts pour demeurer tel que la philosophie a voulu te rendre. Révère les dieux, veille à la conservation des hommes.

« La vie est courte. Le seul fruit de la vie terrestre, c'est de maintenir son âme dans la disposition de faire des actions utiles à la société.

« Agis toujours comme un disciple d'Antonin, rappelle-toi sa constance dans l'accomplissement des prescriptions de la raison, l'égalité de son humeur dans toutes les situations, la sérénité de son visage, sa douceur extrême, son mépris pour la vaine gloire, son application à pénétrer le sens des choses ; comment il ne laissa jamais rien passer avant de l'avoir bien examiné, bien compris ; comment il acceptait les reproches injustes sans récriminer ; comment il ne faisait rien avec précipitation ; comment il n'écoutait pas les délateurs ; comment il étudiait avec soin les caractères et les actions, ni médisant, ni méticuleux, ni soupçonneux, ni sophiste, se contentant de si peu dans l'habitation, le coucher, les vêtements, la nourriture, le service, laborieux, patient, sobre, à ce point qu'il pouvait s'occuper jusqu'au soir de la même affaire sans avoir besoin de sortir pour ses nécessités, sinon à l'heure accoutumée.

« En cette amitié toujours constante, égale, et cette bonté à supporter la contradiction, et cette joie à recevoir un avis meilleur que le sien, et cette piété sans superstition !

« Pense à cela pour que ta dernière heure te trouve, comme lui, avec la conscience du bien accompli. »

Le temps, ma vie aveugle, avaient passé depuis ce septième jour de mars où Marc Aurèle était devenu empereur.

Ces phrases que je découvrais, il m'a semblé qu'elles auraient pu être prononcées par Eclectos le chrétien.

Et cependant, je le savais, Marc Aurèle avait été un persécuteur.

Je voulais comprendre pourquoi.

J'écrivis pour découvrir ce que j'avais ignoré et dont j'avais pourtant été le témoin, peut-être le complice.

30.

Du passé j'ai fait mon présent.

Seul dans ma bibliothèque au milieu des livres et des feuillets de manuscrits épars, j'ai entendu la voix de Marc Aurèle.

C'était au lendemain de la mort d'Antonin le Pieux.

Les pas des prétoriens de la Garde impériale martelaient déjà les dalles de marbre devant la porte de la chambre.

Marc Aurèle était assis en face de la statue d'or de la Fortune.

Il a tourné vers moi son visage serein mais d'une pâleur extrême :

« Je dois agir, parler et penser comme si, dès maintenant, je pouvais cesser de vivre, a-t-il dit. Comme si chacun des actes que je vais, que je dois accomplir, était le dernier de ma vie. »

Il s'est levé, s'est mis à arpenter la chambre sans quitter des yeux la statue dont l'or reflétait les flammes des lampes.

« Je sais ce que mon père adoptif, ma mère, ma famille et les maîtres que j'ai eus m'ont appris... »

Je l'ai écouté dresser la liste de ce que chacun de ses proches lui avait légué.

Il s'interrompait après chacune des qualités qu'on avait voulu lui transmettre comme s'il évaluait la place qu'elle occupait en lui. Et il m'interrogeait du regard. Était-il honnête, généreux, assez méfiant vis-à-vis de tout ce que racontaient les faiseurs de prodiges, les charlatans ?

Je le rassurais. Je connaissais son scepticisme. Il se prêtait aux rituels, il écoutait les oracles pour ne pas heurter les sentiments des Romains plutôt que pour ajouter foi aux prêtres et aux devins.

Il évoquait ses maîtres : Junius Rusticus, qui avait insisté sur la nécessité de réformer son caractère, de ne pas se laisser entraîner par les passions ; le philosophe Apollonius de Tyane qui avait mis en exergue la liberté, le respect, en toute circonstance, de la raison, le calme et la sérénité nécessaires, l'indispensable persistance dans les décisions prises après réflexion, l'absence de toute vanité envers les prétendus honneurs.

Il a continué ainsi longtemps, disant qu'il se sentait le débiteur de tous ceux qui l'avaient guidé, et devait se montrer digne d'eux.

Puis il s'est immobilisé, semblant défier la statue et, détachant chaque mot comme pour se convaincre de l'importance et de la gravité de ce qu'il énonçait, il a dit :

« Ils m'ont appris aussi jusqu'où vont la méchanceté, la ruse et l'hypocrisie des tyrans, et combien ce qu'on appelle chez nous les patriciens manquent par trop de cœur. »

Puis il s'est approché de moi, m'a longuement regardé, mais la fixité de ses yeux m'a révélé qu'il ne me voyait pas. Je n'étais pour lui qu'une sorte de prétexte, le moyen de faire ricocher sa pensée afin qu'elle entrât en lui, jusqu'à le labourer.

Aujourd'hui, ayant retrouvé ses écrits, je puis reconstituer mot à mot la résolution qui naissait de son silence et de sa méditation, son visage ridé si proche du mien :

« À toute heure du jour, songe gravement, comme Romain et comme homme, à faire ce qui t'incombe avec le sérieux d'un homme exact et simple, avec tendresse aussi, et libéralité, avec justice, enfin, en donnant congé à toutes les autres pensées. Dépouille chacun de tes actes, qui pourrait être le dernier de ta vie, de toute vanité, de toute passion qui l'écarterait de la droite raison, de toute feinte, de tout mécontentement contre la part que t'a attribuée le sort. »

Il s'est enfin éloigné, me demandant de l'accompagner au Sénat. Il devait prêter serment devant ces patriciens dont il connaissait l'égoïsme et la fatuité, l'avidité et la lâcheté.

J'ai frissonné en voyant leurs visages, leurs yeux étincelant comme des lames, imaginant sous leur toge les poignards qui avaient assassiné César.

Mais leurs voix étaient unanimes pour louer la piété, la clémence, l'intelligence et la droiture d'Antonin le Pieux auquel ils décernaient le titre de « divin » et accordaient des jeux du cirque, un temple, des prêtres chargés de perpétuer sa mémoire.

Ils se disaient assurés qu'en adoptant Marc Aurèle, en le faisant son héritier, Antonin le Pieux avait choisi avec sagesse et perspicacité le meilleur des successeurs pour l'Empire.

Marc Aurèle s'est avancé et s'est placé entre les bustes de marbre des empereurs. Il s'est dit plein de gratitude pour les sénateurs qui avaient honoré le souvenir de son père adoptif, Antonin le Pieux, l'égal de Numa, roi de Rome. Mais – sa voix s'est faite plus forte – deux hommes suffiraient à peine pour succéder à un tel souverain. Il avait donc décidé de conférer les titres de César et d'Auguste, à son frère adoptif Lucius Vérus avec qui il partagerait la charge de l'Empire.

Les sénateurs l'ont acclamé. Ils devaient voir dans ce pouvoir divisé l'assurance d'accroître leur influence et leurs privilèges.

Était-ce une sage décision dictée par l'esprit de mesure et le souci de justice, une façon de désarmer la jalousie d'un frère en l'associant à part égale au gouvernement suprême de l'Empire ?

J'en ai d'abord douté. Je croyais davantage à l'efficacité de la force qu'à celles de la vertu et de la morale.

J'ai suivi les deux empereurs alors qu'ils s'avançaient côte à côte vers les prétoriens assemblés dans l'enceinte de leur camp.

Ils promirent à chaque soldat vingt mille sesterces

et, pour les autres, une somme en rapport avec leur grade. Les prétoriens dressèrent leurs glaives, martelèrent leurs boucliers, acclamant Marc Aurèle et Lucius Vérus qui agissaient comme s'ils étaient les doubles organes d'un même être.

Ils marchèrent ensemble derrière le corps d'Antonin le Pieux qu'on transporta au mausolée de Hadrien.

Ils prononcèrent son éloge, présidèrent aux funérailles, aux jeux funèbres donnés en son honneur.

Lucius Vérus suivit avec enthousiasme les combats des gladiateurs en se dressant comme un quelconque spectateur à l'instant ultime, quand la pointe du glaive s'appuie sur la gorge du vaincu.

Marc Aurèle, tête baissée, lisait.

Mais il approuvait la décision de vie ou de mort que Lucius Vérus lui proposait.

Un jour, cependant, il la contesta.

La foule réclamait la liberté pour un esclave dresseur de lions. Sa bête fauve s'était jetée avec fureur sur les condamnés qu'on lui avait présentés. Elle les avait d'abord lacérés avec ses griffes, puis avait arraché chaque membre avant de trancher la tête d'un claquement de mâchoires, laissant le tronc sanglant sur le sable.

Gloire à ce dresseur émérite, avait crié la foule, qu'on l'affranchisse en guise de récompense !

Marc Aurèle, qui avait semblé de pas avoir prêté attention à ce spectacle, s'est levé et a lancé d'un ton rogue :

« Cet homme n'a rien fait qui soit digne de la liberté. »

Lucius Vérus a hésité, puis a quitté la tribune impériale en même temps que Marc Aurèle, cependant que la plèbe grondait et protestait.

Alors que tribuns et prétoriens entouraient les deux empereurs au moment où ils sortaient de l'amphithéâtre, Marc Aurèle a lancé d'une voix forte mais sereine :

« N'usons pas ce qui nous reste de vie à imaginer ou à suivre ce que pensent les autres, à moins que ce ne soit en rapport avec l'intérêt général. »

Il a fait quelques pas, guidé par les prétoriens jusqu'à sa litière. Les cris de protestation avaient cessé. Mais, par vagues, des hurlements se succédaient, révélant que les jeux continuaient.

D'autres condamnés, d'autres gladiateurs mouraient.

« L'âme de l'homme s'outrage elle-même lorsqu'elle devient une sorte d'abcès ou une tumeur du monde, a murmuré Marc Aurèle en m'invitant à m'allonger près de lui sur sa litière. Elle s'outrage aussi lorsqu'elle feint, lorsque, dans ses actes ou ses paroles, elle n'est ni sincère, ni vraie. »

31.

Et si c'était le monde lui-même qui était abcès ou tumeur ?

J'ai fermé les yeux comme si je refusais de voir, de me souvenir de ces eaux noires du Tibre qui, quelques jours seulement après que Marc Aurèle fut devenu l'empereur du genre humain, avaient envahi les bas quartiers de Rome, charriant cadavres d'enfants et d'animaux. Les habitants fuyaient devant la crue, ces vagues boueuses qui montaient inexorablement. Elles ensevelissaient les jardins, déracinaient les arbres dont les troncs, comme de puissants béliers, frappaient furieusement les murs des édifices qui s'écroulaient. C'étaient de nouveaux morts que le courant rejetait, entassait au flanc des collines où les réfugiés, les yeux hagards, le corps couvert de boue, mouraient de faim, se lamentant, invoquant les dieux, craignant que les divinités voulussent ainsi annoncer un temps de grands malheurs, après l'ère de bonheur et de paix, le règne heureux d'Antonin le Pieux.

Je ne voulais pas que les questions que je m'étais posées alors, le désarroi et même la panique qui m'avaient saisi reviennent me prendre à la gorge.

Mais que pouvait ma volonté ?

Je m'étais enfoncé dans le passé et il avait la couleur bourbeuse du Tibre en crue ; il répandait les mêmes odeurs putrides, celles des immondices et des cadavres pourrissants ; il couinait comme ces rats qui, en bandes, attaquaient les nouveau-nés, prenaient possession des palais et des villas, si nombreux que leurs corps noirs aux yeux rouges formaient sur les dalles un tapis monstrueux.

J'ai cessé de lire et d'écrire. J'ai gardé les yeux clos. J'ai repoussé Doma qui, comme chaque soir, entrait dans la bibliothèque, attendant que je lui ordonne de s'allonger près de moi ou bien de s'asseoir à mes pieds comme une chatte ou une chienne servile qui guette un geste, un ordre du maître.

Et le plus souvent j'exigeais qu'elle frottât son corps parfumé et épilé contre mes cuisses, mon ventre, qu'elle effleurât ma peau de la pointe de sa langue, qu'elle me fît oublier que le temps m'emportait dans son flux et son reflux, avenir et passé, et qu'au contraire, le plaisir qui peu à peu s'aiguisait me fît vivre dans ce présent qui était, selon Marc Aurèle, la seule réalité.

Mais j'étais menacé par les eaux du Tibre qui avaient englouti Rome.

Je chassais Doma, interdisais aux esclaves de renouveler l'huile et les mèches des lampes.

J'étais dans la nuit.

Dans la nuit comme autrefois quand je m'étais précipité dans la chambre de Marc Aurèle, lui criant que la crue du Tibre avait atteint le Palatin, que les eaux s'avançaient vers l'entrée du palais, que des cadavres déjà s'accrochaient aux colonnes du portique, que les cours étaient envahies par la plèbe et que les prétoriens avaient de plus en plus de mal à la contenir.

La foule avait peur, faim et soif.

À quoi servait donc que l'âme de l'empereur fût sincère et vraie si la nature était cette tumeur rongeant les corps, détruisant la ville, semant le trouble et la mort ?

Pourquoi fallait-il que ce règne qui devait être celui d'un empereur animé par la vertu et la sagesse commençât ainsi ?

Qui pouvait dès lors faire la différence entre le monstre et le sage, entre Néron et toi, Marc Aurèle ?

J'avais osé dire ça, et sitôt ces mots prononcés, j'avais tenté de les effacer en félicitant Marc Aurèle pour toutes les mesures qu'il avait ordonnées : les distributions de grain et de vin, l'ouverture des salles des palais pour y accueillir la plèbe, la célébration de sacrifices pour honorer les dieux, solliciter leur protection, implorer leur clémence, leur bienveillance.

Il m'a interrompu, m'entraînant vers la statue d'or de la Fortune.

« La terre va tous nous recouvrir, Priscus, a-t-il murmuré. Puis elle-même changera, et les choses changeront indéfiniment, et une fois encore elles changeront indéfiniment. Si tu songes aux vagues successives de changements et de transformations, et à leur vitesse, à ces crues qui effacent et recomposent ce qu'elles ont détruit, alors tu mesureras que tout est mortel. Et tu n'auras qu'une seule manière de vivre... »

Il avait tourné le dos à la statue d'or et je l'avais suivi. Nous nous étions approchés de l'une des ouvertures donnant sur le portique.

À la rumeur des eaux qui montaient se mêlaient les gémissements et les pleurs de la plèbe, ce piétinement, ce bruit sourd qu'un cri aigu déchirait parfois.

Je tressaillais. Marc Aurèle m'a serré le poignet.

« Apprends, Priscus. »

Il s'est retourné vers la statue et a énoncé d'une voix résolue :

« Impassibilité en tout ce qui concerne les événements venus d'une cause extérieure. Justice dans les actes dont tu es toi-même la cause : c'est-à-dire une volonté et une action qui ont pour but unique l'intérêt commun. Ainsi tu te conformeras à la nature ! »

32.

Je sais aujourd'hui, en revivant ces temps lointains, que les propos de Marc Aurèle ne m'avaient pas apaisé.

Je retrouve l'angoisse qui m'étreignait, me déchirait le ventre de sa poigne griffue.

Alors que les eaux du Tibre se retiraient lentement, je voyais avec effroi surgir peu à peu de la boue putride les cadavres parmi les statues renversées et brisées des dieux.

J'entendais les lamentations, les cris de colère.

La plèbe réclamait du grain. Elle exigeait des sacrifices aux dieux pour les apaiser.

Dans tous les temples de la ville, devant tous les mausolées, Marc Aurèle organisa des cérémonies expiatoires.

Des prêtres de toutes les provinces de l'Empire avaient été convoqués afin qu'ils célébrassent à Rome les cultes de leurs peuples respectifs.

On égorgea des taureaux, on s'aspergea de leur sang. On honora des charlatans : cet Alexandre d'Abonotique déguisé en serpent et celui qui haranguait les foules au Champ de Mars du haut d'un figuier sauvage. Il affirmait que le feu tomberait du ciel et que la fin du monde surviendrait si lui-même, tombé de son arbre, était changé en cigogne. Des complices, autour du tronc du figuier, l'acclamaient et recueillaient des oboles. À un moment convenu, l'homme se laissa choir en faisant sortir en même temps une cigogne de ses vêtements, cependant que les hommes à sa solde dépouillaient la foule égarée.

Mais, lorsque les prétoriens conduisirent le faux prophète à Marc Aurèle, je vis l'empereur hésiter à punir cet homme qui avait pourtant avoué sa supercherie.

Je m'indignai qu'il le libérât.

« Ne juge pas comme juge l'homme qui t'insulte et comme il voudrait que tu juges, me dit Marc Aurèle. Vois les choses comme elles sont en vérité. »

La plèbe avait besoin de recourir aux dieux, aux mages, aux prêtres, quels qu'ils fussent.

Je ne m'étais pas étonné que Marc Aurèle ne fît pas appel aux chrétiens et aux Juifs.

Ceux-là croyaient en un Dieu unique, non aux divinités protectrices de l'Empire.

Ceux-là se réjouissaient même que les châtiments vinssent frapper la nouvelle Babylone.

Les Juifs, qui portaient dans leur chair la plaie ouverte de Jérusalem, espéraient que Rome serait détruite comme l'avaient été par Titus leur ville et leur Temple.

Les chrétiens pensaient que, puisque l'Empire refusait

de reconnaître Christos, il ne pouvait qu'être condamné.

J'écris cela aujourd'hui sans réussir à me souvenir si, moi aussi, comme la plèbe, j'ai souhaité qu'on extirpât des quartiers de Rome ces croyants qui refusaient de demander à leur Dieu de protéger l'Empire.

Peut-être même ai-je pensé que, de par leur impiété, ils outrageaient les dieux de Rome et attiraient le malheur sur l'Empire.

Puis la guerre vint.

Les nations barbares s'ébranlèrent et se lancèrent à l'assaut du mur dressé par l'empereur Hadrien le long des frontières de l'Empire.

La plèbe s'insurgea quand Marc Aurèle décida, pour faire face à ces assauts des Parthes, des Marcomans, des Quades, des tribus germaniques, d'enrôler dans les légions les gladiateurs.

« L'empereur veut nous ôter notre seul plaisir, entendis-je crier. Il nous prive de nos droits. Ces jeux nous sont dûs parce que nous sommes citoyens romains, que nous voulons voir combattre et mourir dans l'arène ceux qui sont payés pour cela, ou ceux qui doivent succomber parce qu'impies, meurtriers de nos dieux, égorgeurs et dévoreurs d'enfants ! »

J'ai quitté Rome pour me battre aux côtés des deux empereurs, Marc Aurèle et son frère Lucius Vérus.

Je ne sais si je raconterai ces combats contre les

Quades et les Marcomans. Le choc des glaives sur les boucliers, les cris des tribuns et des centurions incitant leurs soldats à s'élancer, les gémissements des mourants, l'odeur de sang et de mort qui couvre les champs de bataille, les loups et les chiens errants qui attendent le bon moment pour lacérer les cadavres, se sont répétés à chacune des batailles auxquelles j'ai participé et dont je ne sais plus aujourd'hui où elles ont eu lieu ni qui au juste les a gagnées.

À la fin, les Barbares ont été repoussés. Mais la peste s'est répandue dans Rome avec le retour des soldats et des prisonniers devenus leurs esclaves. Il a suffi de quelques jours pour que les morts s'entassent à nouveau dans les rues, car l'épidémie, frappant en sauvage, était une tueuse plus cruelle encore que les crues du Tibre. Par monceaux on chargeait les cadavres dans les voitures et les chariots.

J'ai admiré la sagesse de Marc Aurèle qui interdit qu'aucun citoyen de Rome pût ériger des tombeaux où bon lui semblait. Les corps des pestiférés étaient maléfiques, il fallait les brûler ou les ensevelir en des lieux écartés. Il en décida ainsi mais fit payer par l'État les frais des funérailles des plus pauvres et dresser des statues pour les nobles qui avaient succombé.

J'admirais surtout que Marc Aurèle fît face aux calomnies avec sérénité.

Son frère Lucius Vérus étant mort, on l'accusa de l'avoir empoisonné. J'étais auprès de l'empereur quand les délateurs lui rapportèrent les rumeurs qui se colportaient dans Rome. On prétendait qu'il avait donné à manger à son frère la partie contaminée d'une vulve de truie, coupée en deux avec un couteau dont la lame avait été d'un côté enduite de poison, et que lui-même en avait consommé la partie saine.

D'autres l'accusaient d'avoir ordonné à son médecin de pratiquer sur Lucius Vérus une saignée mortelle.

Il écouta. Il eut des paroles de mépris pour les délateurs, leur interdisant de jamais reparaître devant lui.

Mon visage avait dû exprimer l'étonnement et l'admiration. Il eut alors un sourire las :

« Priscus, quand le concombre est amer, laisse-le. Quand il y a des ronces dans le chemin, passe à côté. On te pourchasse de calomnies, d'imprécations ? Est-ce que cela doit changer ta pensée pure, raisonnable, mesurée et juste ? C'est comme si, en passant auprès d'une source limpide et douce, on l'injuriait ; elle ne cesse pas pour autant de jaillir avec son eau bonne à boire, et si l'on y jette de la boue et des ordures, elle les dispersera très vite et n'en gardera pas trace. Comment conserveras-tu en toi, Priscus, une source éternelle ? En te gardant à toute heure pour la liberté, en restant bienveillant, simple et consciencieux. »

33.

J'entends la voix de Marc Aurèle.

Je croise les bras, étreins ma poitrine, mains agrippées aux épaules comme si, en forçant mon dos à se voûter, je pouvais retenir en moi cette voix, comprendre Marc Aurèle auprès de qui j'ai vécu sans oser le questionner ni lui demander de m'éclairer.

Il était l'empereur du genre humain, la colonne sur laquelle reposait l'ordre du monde. Depuis sa disparition, nous vivions à nouveau des temps monstrueux. Comment lui, si clairvoyant, n'avait-il pas empêché ce fils, Commode, le scélérat, le débauché, peut-être seulement son bâtard, de lui succéder ? Avait-il été victime de sa bonté ?

Je le vois, alors que la perversion, la cruauté, la brutalité de Commode sont déjà connues de tous, embrasser ce fils, lui décerner le titre de César, puis la grande prêtrise et le droit d'organiser son triomphe.

J'ai vu Marc Aurèle le philosophe courir dans le cirque auprès du char triomphal dans lequel son fils se tenait assis.

Pourquoi cet aveuglement ?

Qu'est-ce qui a manqué à cet homme sage et vertueux ?

Je l'écoute.

Parfois j'ai l'impression qu'il parle comme Eclectos. Il affiche la même sérénité que le chrétien. Il montre le même respect de l'homme.

Je l'ai accompagné au Sénat. Il fustige les patriciens, leur reproche de traiter les esclaves qu'ils possèdent comme un troupeau. Il veut, dit-il, que soit élaborée une législation nouvelle précisant quels châtiments pourront être infligés à un esclave par son maître.

Il tend le bras. Il désigne Rugus, propriétaire de plusieurs milliers d'esclaves qu'il fait travailler sur ses domaines, dans ses vignes, dont il vend parfois les plus belles pièces, parce qu'il jouit de les voir succomber dans l'arène sous la morsure des fauves ou bien de savoir qu'elles sont prostituées dans un lupanar. Et il leur y rend visite. Il exerce la puissance d'un Dieu absolu décidant du sort de ces femmes et de ces hommes.

« Rugus, dit Marc Aurèle, si désormais tu tues l'un de tes esclaves, tu seras jugé comme criminel, si tu le tortures, la loi te punira et te contraindra à le vendre. Tu ne pourras plus séparer les membres d'une même famille, mais tu les vendras ensemble. Tu ne pourras plus les faire combattre dans l'amphithéâtre, ou les forcer à se prostituer. »

Les sénateurs murmurent, Marc Aurèle les toise et continue d'exposer ses décisions. Il ferme le poing, le brandit et clame :

« L'esclave est une personne humaine. Telle est ma certitude. Elle doit entrer dans la loi ! »

Il se tourne vers moi, me fixe. Il quête un soutien, une approbation.

Je ne sais si je les lui ai donnés.

Aujourd'hui, après tant d'années, lorsque je lis le recueil de ses *Pensées* et y reconnais sa voix, j'éprouve un grand trouble.

J'ai l'impression que Marc Aurèle y emploie les mêmes mots qu'Eclectos. Il prône le respect de l'homme. Il évoque la précarité de la vie dont Dieu dispose. Il prononce rarement ce mot de Dieu, mais j'entends l'écho presque dans chaque phrase quand il parle de l'ordre de la nature, de l'âme.

Il dit :

« Abcès du monde, celui qui s'écarte et se sépare de la loi de la nature universelle en étant mécontent des événements, car ils sont produits par cette nature même qui l'a produit. Lambeau arraché à la Cité universelle, celui qui sépare sa propre âme de celle de tous les êtres raisonnables, alors qu'il n'y en a qu'une. »

Eclectos pourrait s'exprimer ainsi.

Je vois Eclectos, le chrétien, et Marc Aurèle, l'empereur du genre humain, marcher dans la même direction. Ils ne sont qu'à faible distance l'un de l'autre. Il suffirait que le chrétien et l'empereur tendent un bras à l'horizontale, l'un le gauche, l'autre le droit, pour que leurs doigts se touchent.

Ils pourraient se serrer la main.

Et le sort du monde en serait changé.

Pourquoi cela ne s'est-il pas produit ?

Pourquoi l'empereur a-t-il persécuté le chrétien ?

Pourquoi ce gouffre entre eux deux, qui les a empêchés de se rejoindre ?

Eclectos a-t-il raison d'espérer qu'un jour viendra où un empereur prendra la main du chrétien et qu'ils avanceront du même pas ?

Ou bien est-ce une illusion ? Le gouffre restera-t-il toujours béant, ses ténèbres aussi profondes ?

Je me penche, sonde cette blessure du monde.

Dressée dans la pénombre, j'y vois la croix sur laquelle est cloué le corps de Christos, flagellé et supplicié comme celui d'un esclave.

Marc Aurèle, empereur et citoyen romain, pouvait-il admettre que le Dieu unique soit mort à l'instar d'un esclave ?

Voulait-il un Dieu glorieux, puissant, digne de la grandeur de Rome ?

Mais Marc Aurèle pensait aussi que l'esclave était un homme et que le maintenir dans la condition de bête parlante était une violation de la loi de la nature.

Il pouvait donc comprendre qu'un Dieu nouveau, en choisissant de mourir comme le plus méprisé des hommes, ait voulu proclamer que l'esclave méritait le respect que l'on doit à un Dieu, que le corps supplicié avait une âme.

Et que c'est ce corps-là, martyr, qui ressusciterait.

Voilà ce qui gisait au fond du gouffre, cette espérance de la résurrection.

Mais ce mot d'espérance, je ne l'ai jamais entendu prononcer par Marc Aurèle.

Il le repoussait. Il s'en gardait comme d'une illusion, d'une faiblesse.

La vie, la mort ?

On passe de l'une à l'autre. Pourquoi fonder une nouvelle religion sur la croyance en la résurrection ?

Alors que nous marchions parmi les morts, dépouilles de Romains et de Quades entremêlées sur les berges du Danube, Marc Aurèle m'a dit, après m'avoir dévisagé, jugeant sans doute que la peur et l'angoisse m'étreignaient :

« Celui qui craint la mort, craint ou bien l'insensibilité, ou bien une sensibilité différente. »

Il a posé sa main droite sur mon épaule cependant que de la gauche il balayait le champ jonché de cadavres.

« Si l'on ne sent plus rien, on ne sentira pas non plus de mal ; si l'on a un nouveau mode de sentir, on sera un vivant d'une sorte nouvelle, et on ne cessera pas de vivre. Aucun Dieu ne renaît du tombeau. Aucun mort n'accède à la Vie éternelle après la résurrection, dans et par l'amour de Christos. Tout ce qui advient, Priscus, est aussi ordinaire et connu d'avance qu'une rose au printemps ou que les fruits en été : tels sont la maladie, la mort, le blasphème, la ruse, et tout ce qui réjouit ou peine les sots... »

Il a lâché mon épaule et s'est remis à marcher en évitant de trébucher sur les morts.

« Au total, Priscus, a-t-il repris, la vie est courte. Tout passe en un jour, ce qui se souvient comme ce dont on se souvient. »

34.

« Tout passe en un jour », a répété Marc Aurèle.

Pourtant, rien ne passe vraiment, puisque je me souviens.

Je revois l'empereur du genre humain.

Marc Aurèle est assis sous la tente impériale, dans le camp des légions dressé en Pannonie, sur les bords du Danube, non loin de la ville de Carnuntum. Il se tient dans une pose qui lui est familière : le buste penché en avant, les jambes légèrement écartées, les coudes posés sur les cuisses, les avant-bras levés, les doigts entrecroisés, les pouces appuyés à ses lèvres.

Il parle bas, dans un presque murmure.

Sa voix est souvent couverte par les commandements des centurions, le roulement des tambours, l'éclat des trompettes et, venu de loin, de l'autre rive du Danube, les cris des guerriers quades qui s'apprêtent une fois encore à franchir le fleuve et à tenter de prendre pied sur notre berge.

Je scrute les visages des hommes assis sous la tente autour de l'empereur.

Ils sont arrivés de Rome il y a quelques jours à la demande de Marc Aurèle.

L'inquiétude et la peur déforment leurs traits.

Hérode Atticus se ronge les ongles, Junius Rusticus respire bruyamment comme s'il étouffait. Fronton écrase ses doigts sur ses joues, sur sa bouche. Claudius Severus grimace, les lèvres pincées. Proculus tire le lobe de son oreille, puis se frotte le menton.

Ils ne connaissent la guerre que par les livres qu'ils ont lus, les discours qu'ils ont entendu prononcer. Les centurions, les légats, les tribuns, les soldats des légions se moquent d'eux, de leur tenue, de leurs barbes et de leurs cheveux longs, de cette peur qui suinte de tout leur corps.

Mais ce sont ces hommes-là, rhéteurs, philosophes, souvent orientaux, grecs ou syriens, dont l'empereur aime la compagnie. Il campe sur les frontières, il conduit la guerre, mais chacun sent et sait que Marc Aurèle préférerait parler de Socrate, de Caton, de Sénèque ou d'Épictète.

Ces philosophes ont rapidement quitté le camp et regagné Rome.

Ils y occupent des charges richement dotées et jusqu'alors réservées à l'autocratie sénatoriale. On murmure contre eux.

« Sa barbe lui vaut six mille sesterces !, dit-on de Junius Rusticus. Allons, on va bientôt salarier les boucs ! »

On critique leur avidité, les pensions et exemptions dont ils jouissent. On sait qu'ils se querellent, avares, gloutons, rancuniers, jaloux les uns des autres.

Ça, des philosophes ? Et l'empereur a abandonné à ces hommes-là le gouvernement de Rome ?

Marc Aurèle se confie à moi après leur départ :

« J'ai de l'estime pour les vrais philosophes, Priscus. De l'indulgence, sans désir de blâmer, pour ceux qui prétendent l'être. D'ailleurs, je ne suis jamais leur dupe. »

Mais il a besoin de dialoguer avec eux.

Je les ai retrouvés, toujours sur les rives du Danube, en Norique, dans la ville de Vindobona toute entière envahie par les légions, alors que Germains et Quades avaient franchi le fleuve et commençaient à se diriger vers le sud, vers l'Italie.

La panique avait gagné Rome.

Les Barbares assiégeaient Aquilée, en Illyrie, aux portes de la province de Cisalpine. Je me suis battu aux côtés de Marc Aurèle contre ces guerriers au crâne rasé couronné d'une touffe de cheveux. Nous les avons repoussés.

Les philosophes et les rhéteurs, certains devenus consuls et proconsuls, nous ont accueillis à Rome, ont participé à notre triomphe, et le soir, Marc Aurèle m'a invité à le suivre dans sa chambre où il a repris sa pose habituelle, mains croisées devant la bouche, yeux mi-clos.

Il m'a annoncé que nous devions, d'ici quelques jours, repartir pour la Syrie. Nous embarquerions à Ostie ou à Pouzzoles dès que le temps le permettrait. Nous gagnerions Alexandrie puis, de là, Antioche où, rapportaient les courriers, Avidius Cassius, général et légat, qui remportait victoire sur victoire contre les Parthes, régnait avec férocité, crucifiant les chrétiens, massacrant les Juifs, suppliciant ses propres soldats à la moindre marque d'indiscipline, et clamant que l'empereur était indigne de gouverner le genre humain.

« Il se moque de mon goût pour les lettres, a murmuré Marc Aurèle. Sais-tu comment il m'appelle ? "La vieille bonne femme philosophe", et ceux qui m'entourent – donc toi, sans doute, Priscus – des "écoliers débauchés". »

Il est resté silencieux, puis a murmuré :

« Il faut aimer le métier que l'on a appris, et se reposer sur lui. Mon père Antonin le Pieux m'a fait enseigner le gouvernement de l'Empire et la sagesse des philosophes. Je m'en tiens là. Pour le reste, je mène ma vie en homme qui, de toute son âme, s'en remet aux dieux et ne se fait le tyran ni l'esclave de personne. »

J'ai suivi Marc Aurèle dans ces terres d'Égypte et de Judée, puis de Galilée et de Syrie. Le sol y était aussi sec, le ciel aussi brûlant qu'ils avaient été humides, boueux et froids sur les rives du Danube, en Pannonie ou en Norique.

Mais, d'un bout à l'autre de l'Empire, sous des cieux différents, les dieux qu'invoquait Marc Aurèle s'acharnaient contre lui, lui infligeant de nouvelles épreuves comme pour vérifier si un homme pouvait les accepter sans se dresser contre eux, sans perdre la raison, en continuant à prêcher la vertu, la bienveillance à l'égard de ses ennemis, le respect pour ces dieux qui l'accablaient.

Marc Aurèle ne s'insurgeait pas.

J'avais même le sentiment qu'il trouvait une douloureuse satisfaction face aux difficultés qu'il rencontrait, à ces guerres qui ne cessaient pas, comme si, de son vivant, Antonin le Pieux les avait contenues et qu'après sa mort elles se déversaient, telles les eaux de fleuves en crue. Et comme s'il lui était échu de combattre des bords du Danube aux rives de l'Euphrate, d'arpenter les champs de bataille et de voir ses hommes tomber, frappés par les pierres des frondes, les javelots ou la peste.

Marc Aurèle se tourna vers moi :

« L'homme est une pauvre âme qui se coltine un cadavre », énonça-t-il.

Sous la tente, à la nuit tombée, il répéta cette formule d'Épictète, puis me tendit la lettre qu'Avidius Cassius, peut-être avec la complicité de l'impératrice Faustine, venait d'envoyer dans tout l'Empire, annonçant qu'il se proclamait empereur en lieu et place de Marc Aurèle, cette « vieille bonne femme philosophe ».

Je m'indignai.

Marc Aurèle était accusé de laisser vivre et de favoriser l'enrichissement d'hommes – « ces philosophes, ces Orientaux » – dont il faisait mine de condamner la conduite.

« Où sont les règles de vie de nos ancêtres ?, écrivait Avidius Cassius. Il y a longtemps qu'elles ont disparu, et l'on ne songe même pas à les faire revivre. Marc Aurèle pose au philosophe. Il disserte sur la clémence, la nature de l'âme, le juste et l'injuste, mais il n'a pas d'opinion sur la conduite des affaires publiques ! Il faut bien des glaives, bien des édits pour rendre à l'État sa forme ancienne ! »

Mensonges ! Depuis son accession à la dignité impériale, Marc Aurèle s'était consacré chaque jour au gouvernement de l'Empire, avec sagesse, vertu, courage, allant d'un champ de bataille à un autre, supportant maints malheurs privés, la mort de huit des treize enfants que lui avait donnés son épouse Faustine, cherchant à conformer ses actes à sa pensée.

Et il fallait qu'un usurpateur surgisse, qu'un Avidius Cassius, peut-être aidé de Faustine, se déclare empereur !

Je n'ai pas cherché à dissimuler ma fureur, ma volonté de combattre et de tuer Avidius Cassius.

Marc Aurèle a souri :

« Te mets-tu en colère contre un homme qui sent le bouc ou dont l'haleine est fétide ? À quoi bon ? Il a la bouche qu'il a, ou bien les aisselles qu'il a, et d'une telle bouche ou de telles aisselles émane nécessairement une telle odeur ! »

Je me suis rebellé contre ce que je considérais comme de la passivité. Marc Aurèle a soupiré :

« Toujours des guerres après des guerres ! Et maintenant la guerre civile ! Quelle surprise, quelle horreur de ne rencontrer aucune fidélité parmi les hommes, d'être trahi par l'ami le plus cher ! »

Il a tendu le bras pour m'empêcher de l'interrompre :

« Je voudrais appeler Cassius à discuter avec moi de ses prétentions devant le Sénat, devant les légions. Je lui céderais volontiers le pouvoir, si c'était utile à l'intérêt général. Mais Cassius n'y consentirait pas. Comment aurait-il confiance en mes promesses après m'avoir manqué pareillement de foi ? »

Nous avons combattu, traversé la province de Palestine ; j'ai découvert les monts de Judée, le littoral d'Ascalon à Césarée, cette ville de Jérusalem qui n'était qu'une colonie romaine où, sur les ruines du Temple du Dieu unique, se dressaient un temple à Jupiter Capitolin et une statue de l'empereur Hadrien.

Ici avait vécu un peuple puissant qui avait résisté aux légions de Vespasien, de Titus et de Hadrien, préférant le suicide à la servitude.

Mais Marc Aurèle, au lieu d'évoquer ces épisodes glorieux pour Rome, manifestait son mépris pour « l'horrible malpropreté des Juifs et leur humeur turbulente » :

« J'ai enfin trouvé un peuple dont on pourrait tirer moins encore que des Marcomans, des Quades, des Sarmates, des Germains et les Parthes ! », s'exclamait-il.

Aujourd'hui seulement je mesure la profondeur du gouffre séparant les croyants en un Dieu unique, Juifs et chrétiens, et l'empereur de Rome.

En ce temps-là j'ai été à son image, dédaigneux

envers ces Juifs que nous rencontrions, errants, miséreux, dépossédés de leur terre.

J'écoutais Marc Aurèle et l'approuvais.

Il méprisait le peuple juif vaincu. Il ricanait devant ce qu'il appelait les superstitions des chrétiens. Cependant, il ne cessait de méditer sur le sort des hommes, mais c'était comme si chrétiens et Juifs eussent été d'une espèce différente.

Je ne m'en offusquais pas.

« Réfléchis, par exemple, me disait-il, aux événements du temps de Vespasien ; voici ce que tu verras : des gens qui se marient, ont des enfants, sont malades, ici même où nous chevauchons, font la guerre, célèbrent des fêtes, commercent, labourent, flattent, jouent les arrogants, soupçonnent, attaquent, souhaitent parfois mourir, gémissent sur le présent, aiment, amassent de l'argent, désirent être consuls ou rois. Passe maintenant à l'époque de Trajan, c'est encore la même chose. Or cette vie aussi a disparu. Considère de même les inscriptions d'autres époques et de peuples entiers. Vois combien sont tombés en peu de temps, couchés dans la terre, rendus aux éléments. Mais, surtout, il faut te rappeler ceux que tu as connus, ces gens qui se tourmentaient vainement et oubliaient d'agir en conformité avec leur propre constitution, de s'y attacher de toutes leurs forces et de s'en contenter. Il faut te rappeler ici que l'attention à porter aux actions a pour chacune une valeur et une mesure particulières. Ainsi tu ne te décourageras pas des petites choses plus qu'il ne convient. »

Mais ce sage qui marchait sur une terre gorgée de sang juif ne disait mot du destin singulier de ce peuple d'où avait surgi Christos, ce Dieu unique, mort et ressuscité.

Et je partageais son aveuglement.

Alors que nous approchions d'Antioche, je me suis félicité d'apprendre qu'un centurion et un décurion s'étaient emparés d'Avidius Cassius et lui avaient tranché la tête pour la porter à l'empereur. Et j'ai approuvé Marc Aurèle quand il a ordonné aux meurtriers de ne pas se présenter devant lui, mais d'ensevelir leur macabre trophée.

Quelques jours plus tard, un fils de Cassius fut massacré à Alexandrie et quelques complices de l'usurpateur furent déportés. Telles furent les seules suites à la rébellion d'Avidius Cassius. Quant à la mort de Faustine, survenue peu après, elle n'était peut-être liée en rien à l'échec de Cassius.

Je ne suis pas encore à même de décider aujourd'hui de ce qu'il en fut.

Cette victoire remportée sans qu'aient coulé des flots de sang, ce terme mis à une guerre civile, cette fidélité de tout l'Empire, l'accueil des villes d'Achaïe, d'Athènes, ces philosophes grecs venus saluer l'empereur comme l'un des leurs, parurent glisser sur Marc Aurèle sans même le faire tressaillir.

Je l'ai vu, impassible, exprimer une sagesse qui me semblait morose, parfois amère.

Parce que j'ai depuis lors écouté Eclectos le chrétien, je dirais aujourd'hui que Marc Aurèle était sans espérance.

« Songe à la course folle des êtres et des événements, à la vitesse avec laquelle ils se remplacent, me disait-il. Te voilà bientôt cendre ou squelette, un simple nom, voire pas même un nom ; car le nom est encore un bruit, un écho. »

Il avait esquissé une moue, deux rides profondes se creusant de part et d'autre de sa bouche.

« Priscus, ce qui a été de haut prix dans la vie, ce sont des choses vides, pourries, mesquines, des petits chiens qui se mordent, des enfants qui se chamaillent, qui rient puis pleurent sitôt après. La foi et la pudeur, la justice et la vérité, comme disent les philosophes grecs, sont montées jusqu'à l'Olympe. Qu'est-ce qui te retient encore ici ? Les choses sensibles sont changeantes et instables, les sens sont obscurs et leurs impressions trompeuses, la petite âme n'est qu'une émanation du sang : il est vain d'en tirer gloire. Il ne te reste donc qu'à attendre sereinement ta fin, l'extinction ou le changement de lieu. Jusqu'à ce que ce moment se présente, que suffit-il de faire ? »

Il s'était levé, avait fait quelques pas hésitants, sondant le ciel tendu d'un bleu intense au-dessus d'Athènes.

Il me demanda d'organiser une visite à Éleusis afin d'y célébrer Déméter, notre Cérès romaine, la grande déesse du Blé et de la Fertilité, la fille de Chronos, l'ordonnatrice des mystères de ce sanctuaire.

« Que suffit-il de faire ?, a-t-il répété. Quoi d'autre qu'adorer et bénir les dieux, faire du bien aux hommes, les supporter et s'abstenir, bien te souvenir que ce qui dépasse ton petit corps et ton petit esprit n'est ni à toi, ni dépendant de toi... »

Aujourd'hui, quand je me remémore comment Marc Aurèle, à Éleusis, honora Déméter, comment il respecta tous les rites, célébra tous les mystères, je comprends qu'il avait besoin de croire en la puissance des dieux, en l'au-delà de la vie.

Il ressentait la nécessité de l'espérance.

Mais il n'avait pas le courage de l'avouer ni de s'accorder cette consolation, de reconnaître un Dieu unique plein de compassion et qui promettait la résurrection.

35.

J'ai partagé le refus de Marc Aurèle de reconnaître Christos, Dieu unique.

J'ai ainsi été son complice.

J'étais assis près de lui dans la salle d'audience du Palais impérial le jour où Crescens, un homme qui se prétendait philosophe et auquel l'empereur avait accordé pour cela une pension, a réclamé la mort pour les chrétiens :

« Ils adorent un Dieu à tête d'âne !, a-t-il lancé. Ils veulent la destruction de Rome, ils l'annoncent ! »

Crescens parlait d'une voix aiguë, tranchante. Il levait ses bras maigres et secouait sa tête émaciée, anguleuse, prolongée par une barbe qui lui couvrait la poitrine.

« Ils disent ceci : "Rome est la nouvelle Babylone, cette ville corrompue sera précipitée avec impétuosité dans la mer comme une grande meule de moulin. On ne la trouvera plus. Et ni la voix des joueurs de harpe et des musiciens, ni celle des joueurs de flûte et de trompette ne sera plus entendue, et nul artisan, de quelque métier que ce soit, ne s'y trouvera plus, et on n'y entendra plus le bruit de la meule..." »

Crescens s’était avancé d’un pas et, penché vers Marc Aurèle, a repris plus fort :

« Sais-tu ce qu’ils ajoutent ? “Dieu a renversé les grands de leur trône et il a élevé les petits. Il a comblé de biens ceux qui étaient affamés et il a renvoyé vides ceux qui étaient riches.” »

Crescens avait serré les poings.

« C’est une religion pour les esclaves, et leur Christos, ce juif, a été crucifié comme un voleur après avoir été condamné par les prêtres de son peuple et par le procurateur romain ! Or voilà le Dieu qu’ils adorent ! »

Ce jour-là, Crescens avait parlé seul. Mais, les jours suivants, comme s’ils avaient regretté de lui avoir abandonné toute la gloire et le profit de cette condamnation d’une secte qui menaçait Rome, les autres philosophes, les rhéteurs, tous ceux dont Marc Aurèle aimait à s’entourer, dont il recueillait les avis, ont donné de la voix, aboyé contre ces hommes et ces femmes aux agissements monstrueux.

L’un a dit – peut-être était-ce Fronton ? – que les chrétiens se livraient à toutes les perversions dans la promiscuité de leurs réunions. Ils rendaient d’ignobles hommages, qu’on ne pouvait même pas décrire, à leurs prêtres. Ils s’accouplaient comme les animaux eux-mêmes ne le faisaient pas.

Un autre – peut-être Junius Rusticus ? – a ajouté que ces orgies se terminaient par des repas sanglants, qu’on y sacrifiait et y dévorait des enfants.

J’ai frissonné.

Aujourd'hui j'écris comme un coupable qui avoue avoir été témoin d'un meurtre, non pas celui d'un enfant volé, égorgé et dévoré par les chrétiens, mais celui de ces derniers.

Car désormais je les connais.

J'ai vu et entendu Eclectos prier dans la clairière aux sept cyprès.

J'ai vu Sélos et Doma s'agenouiller devant lui, incliner la tête pour qu'il y imposât ses mains.

J'ai vu le visage radieux des esclaves convertis qui semblaient naître à une nouvelle vie et dans les yeux desquels je lisais la certitude de la résurrection.

Comment ai-je pu croire ce que décrivait Rusticus, approuvé par Crescens et Fronton ?

« Ils veulent boire du sang jeune et bien rouge, vitupérait Junius Rusticus. On présente à celui qu'on initie dans la religion un enfant couvert de pâte pour entraîner peu à peu sa main au meurtre. Le novice frappe, le sang coule, tous boivent avidement, se partagent les membres palpitants, cimentent ainsi leur alliance par la complicité, et s'engagent à un silence absolu. Puis on s'enivre, les flambeaux se renversent, et dans les ténèbres tous se livrent à de hideux embrassements.

Le préfet de Rome, Lollius Urbicus, a ajouté qu'il avait reçu les aveux de plusieurs esclaves qui appartenaient à des maisons chrétiennes. Ils avaient assisté à ces orgies sanglantes, à ces égorgements, à ces dévorations d'enfants.

Certains jeunes esclaves promis à la mort avaient réussi à s'enfuir et raconté ce qu'ils savaient.

J'ai cru tout ce que j'entendais.

Je savais pourtant comment on obtient les aveux d'un esclave. On lui déchire les chairs. On lui tranche le nez et les oreilles. On lui brise les membres. On livre l'un de ses proches aux bêtes affamées.

Comment ne dirait-il pas tout ce qu'on attend de lui ?

« Il n'est rien qu'un avorton d'homme ! Sa peau est zébrée par les meurtrissures livides du fouet, son dos est roué de coups. Il est vêtu de telle façon que rien de son corps n'est caché par ses haillons. Sa tête est à demi rasée. Au front il a été marqué au fer rouge ; une lettre est ainsi gravée sur sa peau. Il est entravé. Il est d'une pâleur à faire peur. Ses paupières sont brûlées par la fumée, la vapeur, c'est à peine s'il y voit encore. »

C'est Eclectos qui, un jour, a décrit en ces termes les esclaves occupés autour des meules et des fours à pain.

Mais lorsque je n'étais que cet homme assis dans la salle d'audience du Palais impérial, je ne voyais pas même les esclaves. Lorsque Marc Aurèle prenait des dispositions en leur faveur, voulait que la loi les traitât comme des personnes, je ne voyais toujours pas les corps, les brûlures, les plaies. Les mots n'avaient pour moi ni chair ni sang. Ils n'étaient que des bruits et des signes. Pour Marc Aurèle il en allait de même puisqu'il acceptait que l'on se servît du témoignage d'esclaves battus, torturés, contre leurs maîtres chrétiens.

Il approuvait le préfet de Rome Lollius Urbicus qui avait condamné au supplice un homme du nom de Ptolémée dont la seule faute était d'avoir converti une femme à la religion de Christos. Le mari, citoyen romain, s'était plaint, et la justice avait frappé.

J'avais pensé moi aussi qu'il était nécessaire que l'Empire arrachât de son sein ces pousses vénéneuses qui se multipliaient.

Le préfet de Rome rapportait qu'un certain Lucius, à l'annonce du verdict, s'était levé dans l'enceinte du tribunal pour s'indigner de la sentence qui frappait Ptolémée.

« Il a osé !, s'est insurgé Lollius Urbicus. Que deviennent les lois de Rome si chacun, au nom de ce qu'il croit, peut contester leur application ? Il t'a invoqué, César », a ajouté le préfet.

Marc Aurèle a voulu connaître les propos de ce Lucius.

Ce dernier avait dit face au tribunal, interpellant le préfet :

« Comment peux-tu condamner un homme qui n'est ni adultère, ni voleur, ni homicide, qui n'a commis d'autre crime que de s'avouer chrétien ? Ton jugement est bien peu d'accord avec la piété de notre empereur et avec les sentiments du philosophe qu'il est ! »

Lucius s'était avoué chrétien et le préfet l'avait aussitôt condamné à mort.

« Merci, avait répondu Lucius ; grâce à toi, je vais échapper à des maîtres méchants pour un père, roi du Ciel. »

Un autre homme du nom de Nachios avait aussitôt protesté, revendiqué à son tour sa foi chrétienne. Marc Aurèle a de nouveau demandé à ce qu'on lui rapportât les propos de ce chrétien.

Le préfet a sorti une tablette de sous sa tunique et a entrepris de lire la déclaration de Nachios.

« “Ce qui ne s'était jamais vu, la race des hommes pieux est persécutée dans tout l'Empire, traquée. D'impudents délateurs, des mouchards, des espions, des fourbes, avides des dépouilles d'autrui, prenant prétexte de la législation existante, exercent leur brigandage à la face de tous... Si cela s'exécutait par ordre de César, il faudrait l'accepter et ce serait bien, car il ne saurait se faire qu'un prince juste commande quelque chose d'injuste. Et si c'était un ordre de César, nous accepterions volontiers la mort. Mais les délateurs s'abattent sur nous comme des rapaces, des hyènes et des chacals, ils se livrent au nom de César au plus vil brigandage...” »

Le préfet s'est interrompu, interrogeant du regard Marc Aurèle qui lui a demandé de poursuivre.

« “Oui, c'est vrai, avait déclaré Nachios, la religion des chrétiens a d'abord pris naissance chez les Barbares. Mais le moment où elle a commencé de fleurir parmi les peuples de Rome a coïncidé avec le grand règne d'Auguste, l'ancêtre de tous les Césars, et ce fut comme un heureux augure pour l'Empire. Ce qui prouve bien que notre religion a été destinée à croître parallèlement au progrès du glorieux empire de Rome, c'est qu'à partir de son apparition tout a réussi à merveille aux Romains.” »

Marc Aurèle s'est tourné vers moi :

Ai-je seulement pensé : « Les chrétiens n'aiment pas Rome. On ne peut être citoyen de cet Empire et chrétien ! » Ou ai-je prononcé ces quelques mots ? Ou bien encore les ai-je seulement lus dans le regard de Marc Aurèle ?

Je ne sais plus.

Je ne veux pas savoir.

Je me souviens seulement que Marc Aurèle a dit :

« Applique la loi de Rome, préfet. Et que les supplices rappellent à ces impies qu'il faut croire aux seuls dieux qui veillent sur Rome. Ce sont eux qu'il faut honorer, pour lesquels il faut accomplir des sacrifices. Celui-là seul qui les reconnaît et les prie est digne d'être citoyen de Rome. »

Il parlait d'un ton ferme, mais calme et serein. Lui qui souvent m'avait paru indifférent me semblait résolu, animé par la certitude qu'il choisissait la seule voie possible, la seule à respecter les lois de Rome, à protéger l'Empire et renforcer son unité.

« Il faut que la souffrance infligée soit telle, que plus jamais un chrétien n'ose invoquer, au profit de sa secte ou de lui-même, la parole ou la pensée de l'empereur du genre humain, a-t-il ajouté. Ce qui n'est pas nuisible à la Cité ne l'est pas non plus au citoyen, telle est la règle. Mais si quelqu'un est nuisible à la Cité, il faut le châtier. »

36.

J'avais approuvé Marc Aurèle.

Comment n'avais-je pas compris qu'il venait de livrer à cette dévoreuse, la Mort, ceux que les délateurs accusaient d'être chrétiens ?

Pourtant je savais que dans tout l'Empire, le tribun comme le sénateur, le philosophe comme le plus démuni de tous les citoyens romains haïssaient ces hommes et ces femmes qui refusaient les plaisirs de la bouche et de la chair, qui se réunissaient en des lieux isolés, chuchotaient entre eux, s'embrassaient avec tendresse.

Était-ce au cours de ces rituels secrets qu'ils dévoraient les enfants ?

On les espionnait, les pourchassait. On les lapidait. Ils attiraient le malheur sur l'Empire. Les dieux se vengeaient sur tous les citoyens de l'impiété de ces Orientaux qui corrompaient, avec leurs superstitions, l'âme et les vertus romaines.

Je n'ignorais donc rien des dénonciations qui frappaient les chrétiens, des supplices qu'on leur infligeait.

Il me suffisait d'écouter Crescens et les autres rhéteurs ou philosophes de l'entourage de Marc Aurèle pour savoir l'hostilité qui frappait les chrétiens.

Je le reconnais : je la partageais.

Je ne supportais pas ce que j'appelais la morgue et la prétention de ces hommes, de ces femmes, et même de leurs enfants, qu'ils fussent citoyens, affranchis ou esclaves, qui détournaient la tête avec mépris quand ils passaient devant l'un de nos temples.

Ils refusaient d'honorer les statues de nos dieux. Ils souriaient avec ironie et condescendance. Ils regardaient avec mépris les Romains qui invoquaient Jupiter ou César. Ils condamnaient avec une moue de dégoût ce qu'ils appelaient les turpitudes, la jalousie, la gourmandise, toutes ces passions humaines qu'ils dénonçaient comme étant l'œuvre du démon.

Comme Marc Aurèle, Crescens ou Fronton, j'ai pensé moi aussi que les chrétiens étaient nuisibles.

Ils se moquaient de la barbe de Crescens, dénonçaient les pensions que l'empereur versait à ses philosophes. Ils accusaient nos dieux de n'être que la représentation de toutes les corruptions humaines, de toutes les perversions de la chair, de l'adultère à l'ivresse.

J'ai entendu l'un d'eux, Justin, qui avait ouvert une école au-dessus d'un établissement de bains pour enseigner sa foi chrétienne, accuser les Romains de s'asperger, lors de leurs rites en l'honneur de Jupiter, de sang humain.

Justin gesticulait et, près de lui, Tatien, un Assyrien à la peau sombre, renchérissait, disant que la persécution qui frappait les chrétiens était la preuve de la vérité du christianisme. Car les délateurs, les persécuteurs, tous ces païens étaient l'incarnation des génies du Mal.

Justin et Tatien annonçaient que Dieu anéantirait leurs persécuteurs, que le feu allait les consumer, de même que tous ceux qui se livraient à la débauche.

Ils voulaient, j'en étais alors persuadé, la destruction de Rome et la mort de tous ses citoyens, autant de païens à leurs yeux.

Oui, c'est ce que je croyais alors.

Depuis, Eclectos m'a mis entre les mains des textes de Justin.

Dans mon souvenir, l'homme était un exalté appelant de ses vœux la foudre, le feu, la lave, les tremblements de la terre, les crues qui ravageraient et engloutiraient l'Empire.

Or j'ai découvert un homme qui s'opposait à Crescens, mais avec mesure, rigueur et ironie.

Un homme qui regardait sans trembler la Mort s'avancer :

« Je m'attends bien, dit-il, à me voir quelque jour dénoncé et mis sur un tas de ceps auxquels mes délateurs mettront le feu. Crescens, que l'on prétend philosophe, sera satisfait. Mais cet homme est plus un ami du bruit et du faste que de la sagesse. Il s'en va chaque jour attestant de nous ce qu'il ignore, nous accusant en public d'athéisme et d'impiété pour gagner la faveur d'une multitude abusée. Il faut qu'il ait l'âme bien méchante pour nous décrier ainsi. S'il prétend qu'il est parfaitement instruit de notre doctrine, il faut que la bassesse de son esprit l'ait empêché d'en comprendre la majesté. S'il l'a bien entendue, rien ne peut l'obliger à la décrier, si ce n'est la peur de passer lui-même pour un chrétien. »

37.

Ils ont conduit Justin au supplice.

Il a été jugé, flagellé, brûlé au fer rouge, crucifié, jeté aux bêtes à quelques centaines de pas seulement du Palais impérial où je vivais, m'indignant avec Crescens, Fronton, Junius Rusticus, de l'audace et de l'impudence de ces chrétiens, de ces Orientaux fanatiques qui se précipitaient dans la mort, le visage radieux, arborant un air de triomphe, comme avaient fait avant eux Ignace d'Antioche et Polycarpe de Smyrne.

J'ai ignoré les souffrances, le martyre de Justin.

J'ai partagé le mépris de Marc Aurèle à l'égard de ces Galiléens qui ne se contentaient pas d'accepter la mort, comme doit faire tout homme sage, mais qui la désirait, la suscitait.

Ils étaient si sûrs d'eux, si indifférents à leur sort, à la souffrance, qu'ils insultaient les juges, répétant « Je suis chrétien ! », défiant la plèbe qui hurlait « Les chrétiens aux lions ! »

Parfois les chrétiens s'arrêtaient devant une statue de Jupiter ou d'Apollon et l'interpellaient, la frappaient à coups de bâton : « Eh bien, voyez, païens, votre Dieu ne se venge pas ! », criaient-ils.

On lapidait ces provocateurs sacrilèges. On se précipitait sur eux, on les écharpait, on leur criait : « Et ton Dieu, se venge-t-Il ? »

Les chrétiens ne se défendaient pas. Ils souriaient et succombaient en priant ou en remerciant leurs juges et leurs bourreaux de les avoir arrachés à ce monde impur, pour leur permettre ainsi de rejoindre plus vite Christos.

Leur soif de mort se répandait dans tout l'Empire.

Un jour est entré dans la salle d'audience le proconsul de la province d'Asie, un homme vigoureux du nom d'Arrius Antonius. Il avait combattu aux frontières, vaincu les Parthes, étouffé des révoltes juives, pourchassé et crucifié des esclaves révoltés.

Tout à coup, sa voix jusqu'alors assurée avait tressailli :

« Que faire avec les chrétiens ?, a-t-il demandé.

– Applique-leur la loi, a murmuré Marc Aurèle.

– Je les ai condamnés à la croix, aux bêtes, aux verges, j'ai fait déporter certains d'entre eux en Sardaigne ou aux mines de Sicile. Mais ces infâmes ne craignent rien. Ils veulent comparaître devant les juges. Les actes d'accusation les exaltent... »

Il avait fait juger ceux qui avaient insulté les dieux de Rome, mais des dizaines de chrétiens venus de toute la province s'étaient présentés au tribunal, clamant qu'ils voulaient partager le sort de leurs frères.

Le proconsul en avait désigné quelques-uns afin qu'ils fussent suppliciés comme les condamnés, mais il avait renvoyé les autres. D'une voix que l'indignation faisait encore trembler, il a ajouté :

« Je leur ai dit : "Allez-vous-en, misérables ! Si vous tenez tant à mourir, vous avez des précipices, vous avez des cordes !" Mes centurions ont dû les chasser du tribunal. Et c'est la plèbe qui, en les voyant, s'est précipitée sur eux, leur a brisé les membres. Ils chantaient quand j'ai fait jeter leurs corps aux bêtes. »

J'ai éprouvé du dégoût pour l'attitude de ces fanatiques.

J'ai détourné les yeux, je me suis bouché les oreilles pour ne plus savoir, ne pas imaginer.

Mais, aujourd'hui, la foi de ces martyrs me fascine, me trouble et m'émeut. Elle m'attire.

J'ai écouté Eclectos me lire les lettres d'Ignace d'Antioche et de Polycarpe de Smyrne. Il m'a fait connaître l'*Apologie du christianisme*, de Justin.

Ce que m'a confié Eclectos éclaire d'autant mieux ce que j'ai vécu.

Je m'enfonce dans ma mémoire, j'y creuse des galeries. Je remonte au jour des noms et des visages.

Des chrétiens, j'en découvre jusque dans l'entourage de Marc Aurèle.

Non pas seulement la concubine d'Ummidius Quadratus, le neveu même de Marc Aurèle, cette jeune esclave, Marcia, devenue aujourd'hui l'une des favorites de Commode. Je l'ai rencontrée et je n'ignore pas qu'elle veut tuer ce fils monstrueux d'un prince philosophe. Auprès d'elle, il y a ce Hyacinthe, chrétien lui aussi, qui tisse les fils du complot.

Ceux-là ont survécu. Ils ne recherchent pas la mort du martyr, mais rêvent d'empoisonner ou de poignarder Commode. Et de survivre.

Non, je pense par exemple à Proxénès, cet esclave maigre aux yeux fixes, qui se tenait toujours à quelques pas de Marc Aurèle, l'aidant à revêtir ou à ôter sa tunique.

Je revois les gestes précis de cet homme jeune au visage impassible, remplissant un verre d'eau pour l'empereur.

Dans la salle d'audience, il se tenait dans la pénombre, bras croisés, ne semblant pas même entendre les propos qui s'échangeaient.

Crescens disait : « Ce sont des infâmes, une secte d'esclaves faite pour les femmes ! »

Fronton renchérissait : « L'un d'eux, Montanus, encore un Phrygien, prétend que leurs femmes répandent la parole de ce Christos, qu'elles en sont les meilleures messagères, qu'elles en recouvrent l'inspiration. »

Il s'était esclaffé, ajoutant que ce Montanus voulait des femmes pieuses, qui ne trouvent leur plaisir que dans la foi en Christos, jamais dans un lit ! Selon ces fous, la femme chaste était la plus belle chose au monde, le plus parfait souvenir de la Création primitive de Dieu, et la femme pieuse, l'ornement, le parfum et l'exemple de l'Église. Elle aidait les chastes à être chastes.

Fronton avait ricané. Il comprenait que les chrétiens voulussent au plus vite quitter cette vie ! Puis il s'était exclamé :

« Ces gens-là ne peuvent être des citoyens de Rome. Ils ne possèdent aucune des vertus et ne connaissent aucun des plaisirs du Romain. Le chrétien n'est qu'un *humilior*, un infâme qui doit être puni par la croix, les bêtes, le feu, les verges ! »

Fronton avait écarté les bras comme pour dessiner une croix et avait conclu :

« Jamais aucun d'eux n'a ressuscité ! Leur Christos n'était qu'un magicien juif, mort sur la croix comme n'importe quel condamné, mais dont des imposteurs ont prétendu qu'il avait ressuscité. Ils se sont emparés ainsi des âmes efféminées et serviles. Mais quel homme peut croire à de telles superstitions ?

Je me souviens de la voix forte, calme, surgie de la pénombre, qui avait alors scandé :

« Je suis chrétien, je crois en Christos, Père, Fils, Esprit, Dieu unique, mort et ressuscité ! »

Je revois Proxénès qui s'avance dans la lumière, s'immobilise au centre de la salle d'audience et répète :

« Je suis chrétien ! »

J'entends le pas des prétoriens qui s'élancent, se saisissent de lui, lui tordent les bras, pèsent sur sa nuque et ses épaules, le forcent à marcher courbé, l'entraînent dans l'ombre.

Je ne me suis pas enquis du sort de Proxénès.

Je ne l'ai pas même imaginé.

Proxénès, jusqu'à ce jour, était comme enseveli en moi.

Mais le souvenir aussi est résurrection.

38.

Les ressuscités de ma mémoire s'avancent à présent vers moi.

Derrière Justin et Proxénès, je vois cette foule de peuples barbares qui, en Norique, en Pannonie, en Dacie, sur les berges du Danube ou des fleuves d'Illyrie, poussent leurs cris de guerre.

Quels sont les dieux de ces hommes qui se précipitent dans la mort sans plus de crainte que Justin ou Proxénès ? Croient-ils en la résurrection ? Ils combattent comme s'ils étaient immortels, avec une sorte de joie sauvage, indifférents aux blessures, se servant parfois de leurs femmes et de leurs enfants comme de boucliers ! Quelle est leur foi ? Ils ignorent Christos et les dieux de Rome ?

Ils sont innombrables, d'une taille et d'une force herculéennes. Certains sont nus, le corps enduit de graisse de sanglier ou d'ours.

Nos légions reculent.

J'ai déjà évoqué ces soldats qui se sont agenouillés, ont invoqué le dieu Christos, et celui-ci les aurait entendus, déversant sur eux, alors qu'ils mouraient de soif, une pluie bienfaisante.

Mais que peut cette légion *Fulminata*, foudroyée par le signe divin, quand la crue des Quades, des Marcomans, des Vandales, des Sarmates, des Alains déferle, surgissant de la nuit des forêts ?

Je retrouve Marc Aurèle sous sa tente.

Il est entouré de légats, de centurions, de ses philosophes et de ses rhéteurs. Les officiers comptent les hommes dont ils disposent pour s'opposer au flux barbare, à cette ruée. Nombreux sont les morts, les blessés, les prisonniers. Il faut que des courriers partent pour Rome, et d'autres vers le Rhin. Il faut enrôler dans les légions les esclaves, les gladiateurs, les bandits ainsi que des Germains. Il faut offrir à chaque recrue quelques centaines ou quelques milliers de sesterces et, pour cela, vendre les objets précieux du garde-meubles impérial.

Fronton se lève :

« Il faut exiger de chaque habitant de l'Empire qu'il contribue à sa défense. Et pourchasser, supplicier tous ces chrétiens qui, par leur impiété, leur refus de sacrifier aux dieux de Rome, sont responsables des malheurs qui nous frappent. »

D'une voix hésitante, un tribun a rappelé que les soldats de la légion *Fulminata* avaient prié Christos et reçu l'aide de leur Dieu.

« Mensonge !, s'est écrié Fronton. Les chrétiens refusent de s'enrôler et de tuer. Ce sont des efféminés, une secte au service des ennemis de l'Empire ! »

Marc Aurèle renouvelle ses ordres puis, d'un geste, demande à rester seul.

Au moment où je vais franchir le seuil de la tente, il me retient, reste un long moment à regarder les soldats se rassembler dans les allées du camp, les courriers sauter sur leurs chevaux, les centurions et les tribuns lancer leurs consignes.

Il m'entraîne vers l'intérieur de la tente et se rassied.

« Malheureuses fourmis pliant sous la charge !, murmure-t-il. Souris affolées courant en tous sens, pantins tirés par des ficelles ! »

Il soupire, ferme les yeux et reprend :

« L'araignée se gonfle d'orgueil pour avoir attrapé une mouche. Un chasseur est fier d'avoir tué des marcassins ou des ours, un pêcheur d'avoir pris des sardines au filet, un centurion d'avoir vaincu des Sarmates ou des Quades ! Ne sont-ce pas tous des brigands, au regard des principes ? »

Il se lève, fait quelques pas, tête baissée.

« Au milieu de cette guerre, de ces ténèbres, de cette fange, de ce flux si rapide de la substance, du temps, du mouvement, de ce qui est en mouvement, de ces peuplades qui roulent vers nous comme la houle, est-il un seul objet à estimer à haut prix, un objet qui, d'une manière générale, mérite qu'on s'y intéresse ? »

Il me dévisage, les yeux fixes.

« Je n'en ai même pas idée », conclut-il.

J'ai parlé de Rome, de l'Empire qu'il fallait défendre et maintenir. N'avait-il pas plusieurs fois exalté les vertus romaines, l'obligation pour chacun de remplir sa charge pour le bien général ?

Il penche la tête sur son épaule puis, d'un hochement, m'approuve dans un murmure :

« Il n'y a pourtant qu'un seul refuge pour l'homme, une seule retraite tranquille, un seul lieu où il puisse se retirer : et c'est son âme. »

Il lève la main et ajoute :

« Mais je suis empereur. Et je suis ici hors de mon âme. Je le dois, Priscus, jusqu'à ce que la mort m'invite à me coucher auprès d'elle. »

Je me souviens de mon désarroi devant cet empereur, mon maître en sagesse, qui défendait Rome avec, au cœur, ce que j'appelle aujourd'hui le désespoir, c'est-à-dire ce grand vide qu'est l'absence de promesse.

Je préférais le voir entrer dans le temple de Mars et, Grand Pontife, se saisir d'un javelot, en plonger la pointe dans le sang d'un animal égorgé.

Mon souvenir se brouille.

Et s'il s'était agi du sang d'un prisonnier sacrifié au dieu de la Guerre ?

Je ne puis répondre à cette question.

Je vois Marc Aurèle brandir l'arme et la lancer vers le point du ciel au-dessous duquel se trouvait l'ennemi.

Il honorait donc les dieux de Rome. Et les peuplades barbares étaient refoulées, contenues, voire, pour certaines, installées sur des territoires devenus colonies de l'Empire.

Nous rentrions à Rome. La victoire et la paix étaient

aussi précaires que la vie, mais la plèbe acclamait l'empereur et son fils Commode qu'il avait décrété *imperator*.

C'était le triomphe.

Mais le soir, dans la chambre, assis en face de la statue d'or de la Fortune, Marc Aurèle à nouveau contemplait la Mort, chuchotant à lui-même plus qu'à moi.

« Le sais-tu, Priscus ? Il n'est personne de si heureux qui ne soit pas, à sa mort, entouré de gens si contents du malheur survenu. Était-il honnête et sage ? Il se trouvera toujours quelqu'un pour se dire en lui-même : "Nous allons enfin pouvoir respirer sans ce maître d'école ! Il n'était certes pas désagréable à notre endroit, mais je sentais bien qu'il nous blâmait sans le dire." Or il s'agissait là d'un honnête homme ! »

Il m'a regardé en souriant :

« Peut-être penseras-tu ainsi de moi, Priscus ? »

Je me suis récrié, mais, d'un geste de la main, il m'a fait taire.

« Et combien d'autres bonnes raisons ont nombre de personnes de désirer se débarrasser de nous ! Voilà à quoi il faut réfléchir au moment de trépasser. Je m'en irai donc aisément en pensant : "Je quitte une vie dont mes compagnons eux-mêmes, pour qui j'ai tant lutté, tant prié, eu tant de soucis, veulent m'éloigner, en attendant de ma mort quelque chance nouvelle !" »

Il a fermé les yeux, laissant son menton retomber sur sa poitrine.

« Pourquoi donc, Priscus, tenir tant à prolonger ici mon séjour ? »

SIXIÈME PARTIE

39.

J'ai espéré que Marc Aurèle me survivrait, qu'ainsi j'échapperais au règne de son fils Commode qu'il avait désigné pour successeur.

Il me suffisait d'apercevoir la silhouette massive de cette jeune brute, de le voir lever ses mains épaisses d'étrangleur, d'entendre ses exclamations et son rire quand il assistait à un combat de gladiateurs et qu'il hurlait, réclamant la mort de l'un d'eux, pour savoir que Commode ne serait pas le continuateur de Marc Aurèle, mais se conduirait comme Néron ou Domitien.

J'avais lu Tacite et Suétone.

Ne valait-il pas mieux mourir que subir le pouvoir illimité d'un nouvel histrion meurtrier qu'il faudrait un jour se résoudre à assassiner ?

C'est ce que songeaient à présent à faire Marcia, Hyacinthe, tant d'autres – peut-être même, parmi eux, Eclectos.

Il me semblait d'ailleurs que si Marc Aurèle ne voulait pas – comme il disait – « prolonger ici (son) séjour », c'était pour ne plus voir ce fils – ce bâtard, sans doute ! – auquel il avait pourtant décidé de transmettre le gouvernement du genre humain.

Je reprochais à Marc Aurèle cette soumission à la fatalité d'une filiation, son refus d'adopter un héritier digne de lui, sa peur d'affronter Commode et ses partisans, nombreux dans les légions et parmi les prétoriens. Mais je n'avais jamais osé penser que mon maître en sagesse, l'empereur-philosophe, le vertueux, agissait ainsi par une sorte d'indifférence morose à ce qui pouvait survenir après lui ou, pis encore, par lâcheté.

Aujourd'hui, alors que Commode règne, piétinant les cadavres, plongeant ses mains dans le sang de ses victimes, il m'arrive d'accuser, d'accabler Marc Aurèle.

J'écoute Eclectos qui me répète que l'empereur que je vénérais, que j'avais servi, n'avait été qu'un persécuteur, un meurtrier, lui aussi, pourchassant de sa haine les chrétiens, ou bien – mais n'était-ce pas tout aussi monstrueux – incitant ou autorisant les magistrats, légats, proconsuls, gouverneurs qui lui obéissaient à arrêter, juger, condamner, torturer, livrer aux bêtes des hommes et des femmes dont la seule faute était de croire en Christos.

« Non, Commode ne le trahit pas, m'a plusieurs fois répété Eclectos. Commode l'honore ! Commode est son héritier fidèle ! »

Je protestais. Je ne voulais plus écouter Eclectos ;

pourtant, je l'entendais qui, sous le portique, dans la cour intérieure de ma demeure, me lançait :

« J'ai connu la plupart de ceux que, sur l'ordre de Marc Aurèle, on a supplicié à Lugdunum, il y a à peine un peu plus d'un lustre. Tu y étais, Julius Priscus, mais tes yeux étaient aveugles, tes oreilles sourdes. Reviens sur tes pas, aie ce courage. C'était il y a cinq années seulement. Tu sauras alors qui était vraiment Marc Aurèle, ton empereur, père de ce monstre, Commode. Un fils peut-il être criminel si son père ne l'a pas été ?

Je m'enfuis, me cloître dans la bibliothèque.

J'ouvre le livre où Marc Aurèle a rassemblé ses *Pensées* où il écrivit :

« Quand on voit ce qui est maintenant, on a tout vu, et ce qui s'est passé depuis l'éternité, et ce qui se passera jusqu'à l'infini ; car tout est pareil en gros et en détail. »

Mais si cette pensée est juste, alors le règne criminel de Commode dit la vérité de ce qui fut et de ce qui sera ! Et il n'y aura jamais de paix ni d'ordre juste en ce monde. On y égorgera. On y violera. On y suppliciera, comme fait Commode. Et comme l'aurait fait avant lui ou aurait été capable de le faire tout homme, s'il en avait eu le pouvoir.

Donc aussi Marc Aurèle.

Si cela est, l'espérance ne peut être que hors de ce monde, dans une vie d'après la mort, née de la résurrection.

Que disent d'autre les chrétiens ?

Je me rappelle Marc Aurèle me prenant par le bras avec cette familiarité fraternelle qui m'émouvait et me comblait :

« Songe souvent, Priscus, à la liaison de toutes choses dans le monde et à leur rapport les unes avec les autres – m'avait-il dit ce jour-là au bord du Danube alors que le fleuve charriait encore les cadavres des guerriers quades tués lors de leur dernière tentative pour prendre pied sur notre rive. Car toutes choses sont en quelque sorte entrelacées entre elles. Et, par là, toutes sont amies les unes des autres, car l'une est la suite de l'autre... Tout est issu du principe universel ou accompagne comme conséquence ce qui en est issu. Même la gueule du lion, le poison, toutes choses nuisibles, comme les épines ou la boue, découlent et adviennent comme la conséquence d'êtres nobles et beaux. »

Il m'a serré le bras et a penché la tête vers moi :

« Priscus, ne les imagine pas comme étrangers à ce que tu respectes, songe plutôt à la source d'où vient toute chose... »

J'ai hésité. J'ai médité ces propos, lu et relu ces *Pensées* de Marc Aurèle.

Tout est-il pareil « en gros et en détail » ?

Toutes choses sont-elles inextricablement entrelacées, causes et conséquences les unes des autres ?

Comment savoir ?

J'ai décidé de remonter le fleuve de ma mémoire pour atteindre une source qui avait jailli devant moi sans que je la visse, il y avait cinq années de cela.

Ce fleuve se nommait le Rhône.

La source s'en trouvait à Lugdunum, dans cette ville où j'avais débarqué d'une grosse nave qui, depuis la Méditerranée, était halée par des paires de bœufs cheminant lentement sur chacune des rives.

J'aperçus enfin cette ville dont les faubourgs d'Ainai s'étendaient sur plusieurs petites îles, et dont la cité romaine et gauloise était tassée sur les pentes de la colline de Fourvière qui domine les eaux du fleuve.

Je voulais réexplorer ce que j'avais vécu là, au bord du Rhône.

40.

C'était donc il y avait environ cinq ans, à Lugdunum, dans cette cité des bords du Rhône qui était alors la capitale des Gaules.

J'étais assis sur la terrasse de la demeure du légat impérial, Martial Pérennis.

Je l'écoutais.

Il allait et venait devant moi, s'immobilisant souvent, tendant alors le bras en direction de ce faubourg d'Ainai où j'avais débarqué quelques heures auparavant en compagnie de Sélos, mon affranchi.

Trois prétoriens de la garde du légat nous avaient accueillis sur les quais du port, mais j'avais refusé de monter sur la litière, comme ils m'y invitaient.

Les ruelles populeuses m'attiraient. La foule y était bruyante, bigarrée. Les boutiquiers criaient pour tenter d'attirer les passants, les femmes surtout dont j'avais remarqué, dès mes premiers pas sur le quai, le corps souple, les traits réguliers, les cheveux noirs, la peau mate des Orientales, leurs hanches et leurs seins lourds sous les voiles.

J'avais aussitôt ordonné à Sélos de se mettre en chasse, de m'acheter l'une de ces jeunes femmes, une vierge, et je lui avais désigné certaines de ces silhouettes, certaines richement vêtues de robes claires bordées de tissu pourpre.

Sélos connaissait mes penchants. Il s'était incliné, m'avait souri comme un vieux complice, ajoutant qu'il se sentait ici chez lui.

On entendait en effet parler le grec et le syriaque, plus rarement le latin ou le celte.

J'avais à peine aperçu quelques Gaulois perdus parmi cette foule orientale. Leurs manières brusques et leur arrogance révélaient leur irritation, leur fierté, le mépris qu'ils manifestaient envers cette foule dont le légat m'avait expliqué qu'elle était originaire des provinces d'Asie, de Phrygie, de Bithynie et du Pont, de Syrie et de Palestine.

« Tu les as entendus, Priscus ?, avait répété Pérennis. Lorsque je me rends dans cette ville basse, j'oublie que je suis le légat des Gaules, on me parle grec et syriaque ! Certains veulent célébrer la fête de Cybèle, la déesse mère, d'autres leur nouveau dieu, ce Christos qui aurait ressuscité le jour où les prêtres de Cybèle vénèrent la Grande Prostituée et accueillent parmi eux les néophytes... »

Il avait levé les bras.

« Que veux-tu que je fasse ? Prêtres de Cybèle et fidèles de Christos se haïssent, mais les premiers honorent l'empereur quand les autres l'ignorent. »

En parcourant les rues du faubourg d'Ainai jusqu'à la demeure du légat impérial située au sommet de la colline de Fourvière, j'avais deviné la tension qui couvait dans les rangs de cette foule.

Les trois prétoriens qui me précédaient m'avaient frayé un passage, écartant les passants de la hampe de leurs javelots, hurlant qu'on devait faire place au chevalier romain représentant l'empereur.

Ils levaient leurs armes et souvent, parce que les passants s'attardaient, me jetant un regard de défi, ils frappaient, cinglant les épaules, les cuisses, les mollets.

On s'écartait. On me menaçait du poing. On m'interpellait.

Je ne comprenais pas ce grec d'Asie ou de Phrygie, plus rocailleux que celui d'Athènes ou d'Achaïe.

Avec humeur, le légat m'avait reproché d'avoir, en parcourant les faubourgs, puis les rues de Fourvière, attisé les passions et pris des risques pour ma vie.

Il était responsable de ma sécurité devant l'empereur. Il me priait de ne plus sortir de sa demeure qu'en litière, escorté par une garde prétorienne.

Martial Pérennis s'était adossé à la balustrade, tournant le dos à ce paysage de rivières et de collines où s'encastraient, plus loin, les cimes des Alpes.

Il m'avait interrogé sur les intentions de Marc Aurèle.

Les Gaulois et les citoyens romains, disait-il, exigeaient qu'on arrête et qu'on condamne ces chrétiens qui les provoquaient en refusant de célébrer l'empereur et les dieux de Rome, Jupiter ou Mars. Ils les accusaient de se livrer à des repas sanglants sur les berges du fleuve. On les avait aperçus qui entraient, enlacés, dans les eaux du Rhône, s'en aspergeant puis s'embrassant, se livrant à des orgies avant de dévorer les corps d'enfants égorgés.

Ces prêtres chrétiens étaient souvent des magiciens. L'un d'eux, Markos, un Grec, était connu dans toute la cité. Il flairait les femmes, choisissait les plus riches, les séduisait, les invitait à s'accoupler à lui, seul moyen, assurait-il, de leur faire rencontrer le dieu Christos. Il prétendait avoir le pouvoir de changer l'eau en sang.

Un délateur avait rapporté comment il disait aux femmes : « Dispose-toi comme une fiancée. » Elles s'allongeaient. Il passait rapidement devant leurs yeux une coupe remplie d'eau. Il se tournait sans doute pour y dissoudre une poudre, puis il montrait l'eau rougie et les femmes se pâmaient, persuadées d'avoir assisté à un miracle, et offraient leurs corps et leurs biens à Markos.

On imitait ce prêtre. Des disciples usaient comme lui de tours de magie, œuvraient dans ce qu'ils appelaient des chambres nuptiales où ils célébraient les noces des femmes avec Dieu dont ils prétendaient être l'incarnation passagère. Ils usaient pour ce faire de drogues, de baumes et d'huiles.

Certaines de ces femmes échappaient après quelques semaines à ces sortilèges mais, humiliées, outragées, compromises, souillées, dépouillées, elles n'avaient aucun recours. D'autres quittaient alors la cité et erraient à la recherche d'une consolation. Quelques-unes devenaient prêtresses de Cybèle, d'autres se rassemblaient autour de Grecs d'Asie ou de Phrygie, disciples eux aussi de Christos mais condamnant Markos comme un imposteur.

J'avais été étonné d'apprendre que le légat impérial n'avait pu se saisir de Markos qui avait fui la cité et sans doute regagné l'Orient avec plusieurs de ses disciples.

Martial Pérennis s'était penché vers moi. Il avait hésité, puis avait avoué avec désinvolture et même un mouvement d'orgueil qu'il avait choisi de laisser libre ce Markos dont la prédiction et les tours de magie contribuaient à diviser la secte de Christos, à la faire rejeter par la plus grande partie de la population.

« Aux yeux de la plupart, avait poursuivi le légat impérial, Markos était l'un des grands prêtres de ce nouveau dieu. Or comment croire en ce Christos, dieu de justice et de vérité, selon ses disciples, quand celui qui parle en Son nom, qui prétend faire surgir la chair et le sang divins, n'est qu'un homme corrompu, un suborneur, un imposteur, un faussaire ?

Martial Pérennis s'était redressé.

« On l'a d'abord écouté et suivi, surtout les femmes, puis méprisé, dénoncé, haï, et la secte de Christos s'en est trouvée affaiblie, isolée, condamnée. »

Le légat impérial était allé jusqu'à la balustrade, s'y était appuyé, et j'avais eu devant les yeux ses larges épaules de soldat, sa nuque épaisse, sa tête massive qu'il hochait.

« Il a pourtant été mon allié, avait-il ajouté. C'est souvent ainsi, à la guerre. On tend des pièges, on feinte, on utilise des leurres. Je crois que Markos savait que je tolérais ses prédications parce qu'elles me servaient. De fait, mon attitude lui permettait de les poursuivre. Mais il a senti que le moment approchait où il me faudrait frapper, le traiter en ennemi, et il s'est enfui. Sans doute est-il retourné en Orient. »

Martial Pérennis était revenu vers moi.

« Gaulois et Romains, tous les fidèles de nos dieux veulent que j'écrase la nouvelle secte. Les rescrits impériaux m'en donnent le droit et m'en font un devoir. »

Il avait frappé du talon comme on martèle la tête d'un serpent.

Les prêtres et les prêtresses de Cybèle, m'avait-il expliqué, s'indignaient à l'idée que, bientôt, les chrétiens célébreraient le culte de leur Dieu, ressuscité le jour même où, dans le temple de la Grande Mère des prostituées, ils accueillaient les nouveaux adeptes de la déesse de la Fertilité. Ils exigeaient que le légat arrêtât les disciples de Christos avant qu'ils ne pussent commettre ce sacrilège contre Cybèle.

Les prêtres gaulois rappelaient pour leur part qu'ils allaient réunir à Lugdunum l'assemblée annuelle des délégués des Trois Gaules. Était-ce concevable si les chrétiens prêchaient à la foule gauloise leurs superstitions ? Ils avaient indiqué au légat qu'il fallait offrir à cette foule des jeux dignes de l'Empire. Or les gladiateurs thraces étaient trop chers. Ne pourrait-on présenter un spectacle moins coûteux, plus rare, même, en trouvant des condamnés, des ennemis de l'Empire à livrer aux bêtes fauves ? Pourquoi pas les disciples de Christos ? »

Martial Pérennis s'était lentement caressé le menton.

« Les dieux ne sont pas favorables aux chrétiens », avait-il murmuré.

41.

J'aurais pu et dû pressentir qu'un flot de sang et de souffrances allait envahir les rues et l'amphithéâtre de Lugdunum.

J'aurais pu et dû imaginer que des corps suppliciés, mutilés, et les cendres de leurs restes seraient jetés dans les eaux du Rhône.

Aujourd'hui, réévoquant ce passé, dressant l'inventaire de ce que j'avais vu et de ce que le légat, Martial Pérennis, m'avait dit, je ne peux plus ignorer que tout m'avait été annoncé.

Il suffit que j'écrive un mot pour que mille autres signes me reviennent.

Je vois des prêtres et des prêtresses de Cybèle parcourir les rues du faubourg d'Ainai et du quartier de Fourvière.

Ils crient : « Les chrétiens aux lions ! »

Ils se saisissent d'un jeune homme aux cheveux noirs bouclés. Ils le forcent à s'agenouiller devant la statue de César *imperator*. Il ne se débat pas mais continue à sourire. On le roue de coups. Il est allongé sur le sol, bras écartés, le corps couvert de sang, comme crucifié.

La foule l'entoure. Elle crie :

« Au bûcher ! Aux bêtes, les égorgeurs d'enfants, les impies, les adorateurs du dieu à tête d'âne, les dévoreurs de chair humaine, les buveurs de sang ! Qu'on les crucifie et qu'ils ressuscitent, s'ils le peuvent ! »

Le jeune homme ne pousse pas un cri cependant qu'on le retourne, qu'on le piétine. Sa mâchoire est brisée, ses yeux sont clos mais il sourit.

Cette résignation obstinée, cette paisible attente de la mort, alors qu'on martyrise le corps, je sais à quel point elle m'irritait, que je la rejetais comme faisaient tous les citoyens de Rome, et d'abord Marc Aurèle qui condamnait toutes ces superstitions, ces religions nouvelles qui retranchaient leurs croyants de la communauté humaine puisqu'ils refusaient d'honorer ces dieux qui protégeaient la Cité et l'Empire et dont le culte créait entre tous un lien indissoluble.

L'impie qui ignorait ces dieux méritait la mort.

J'avais entendu Marc Aurèle, une moue de mépris et d'ironie crispant le bas de son visage, commenter l'attitude de ces chrétiens qui acceptaient et même recherchaient le martyre :

« L'âme est belle, avait-il dit, lorsqu'elle est prête à tout instant à se séparer, s'il le faut, de son corps, ou bien de s'éteindre, ou de se disperser, ou de survivre. Mais – ses rides s'étaient alors creusées de part et d'autre de sa bouche – il faut que cette attitude soit due à un jugement de la raison, capable de persuader autrui par ses arguments, et qu'aucune pose tragique ne l'accompagne. Les chrétiens ne se soumettent qu'à leur superstition, ils agissent comme sur une scène, leur attitude est l'effet d'un simple esprit de contradiction. Elle est méprisable. Elle est indigne d'un citoyen, d'un philosophe, d'un homme sage dont l'âme est accordée au mouvement de l'univers, au rythme de la nature, aux religions de la société. »

J'étais pénétré de ces pensées.

J'avais donc assisté sans la voir à la mort de ce jeune chrétien aux cheveux noirs bouclés.

Des Gauloises avaient lacéré son corps, brandissant des lambeaux de chair et criant : « Que son Dieu le ressuscite, maintenant ! »

En dansant, en psalmodiant, elles s'étaient dirigées vers le temple de Cybèle et la foule des hommes les y avait suivies.

Je ne m'étais pas mêlé à ce cortège.

J'étais un chevalier, citoyen de Rome, envoyé de l'empereur, et non pas un Gaulois ni un Syrien. Mais je partageais leur mépris pour ces chrétiens et j'avais détourné la tête en témoin aveugle.

J'avais enfoui mon visage entre les seins et les cuisses de cette jeune esclave phrygienne que Sélos avait achetée sur les quais du port d'Ainai alors qu'elle débarquait d'une nave qui avait remonté le fleuve depuis la Méditerranée.

Il l'avait acquise aux enchères, la disputant aux représentants de Martial Pérennis ; le légat impérial m'avait confié en souriant qu'il avait voulu me l'offrir mais que, dans sa hâte, mon affranchi avait ignoré les intentions de ses mandataires.

« Me l'aurais-tu offerte vierge ?, avais-je demandé.

– Comment peux-tu en douter ? », avait répondu Pérennis, puis il s'était esclaffé, vantant ma prudence et ma perspicacité.

J'avais félicité Sélos pour sa détermination.

Sélos avait poussé vers moi la jeune esclave qu'il avait nommée Doma.

Il l'avait dénudée pour me permettre d'apprécier ses formes. Il avait retroussé les lèvres de l'esclave pour que je vérifie la régularité et la blancheur de sa dentition. Il l'avait fait pivoter pour qu'elle m'exhibe ses épaules, la cambrure de ses reins, la courbe de ses hanches, la minceur musclée de ses jambes.

J'avais aussitôt aimé ce corps et sa peau mate, au point que je m'étais irrité de la façon dont Sélos la palpait, comme si elle avait été son bien, comme si le fait de l'avoir choisie lui donnait quelque droit sur elle.

Mais Sélos me servait depuis longtemps. Il connaissait mes susceptibilités, mes sautes d'humeur, et il s'était vivement écarté de Doma, s'inclinant, quittant la pièce à reculons, me laissant seul avec l'esclave.

Doma était à moi, docile et pourtant fière ; elle laissait mes mains emprisonner ses seins, mes doigts entrer en elle, à ma force, à mes désirs et à mes droits n'opposant que la clarté de son regard.

J'ai exigé qu'elle ferme les yeux lorsque je la tenais sous moi comme une proie.

Elle s'y est toujours refusé, paraissant ne pas comprendre ce que je lui demandais, ne semblant pas craindre les coups dont je la menaçais.

Peut-être l'ai-je alors giflée.

Mais ma mémoire n'en a rien gardé, ou bien je ne tiens pas à m'attarder, à m'enfoncer dans ces nuits et ces journées que je passais allongé près de Doma dans la chambre du palais du légat impérial, situé dans le quartier de Fourvière, non loin de l'amphithéâtre.

J'entendais les exclamations de la foule, ses cris, et parfois, au milieu d'un silence, le rugissement des bêtes fauves.

Alors j'empoignais le corps de Doma, je le ployais, le mordais, le pénétrais, et ma tête était pleine du battement de mon sang, de la respiration rauque et haletante de l'esclave qui, sur mon ordre, me chevauchait et à qui j'imposais, mes mains sur ses hanches, les mouvements qui me convenaient.

Comment aurais-je continué à prêter attention à ce que la plèbe gauloise de Lugdunum hurlait ?

Je n'entendais que mon désir. J'ignorais tout ce qui n'était pas mon corps à corps avec Doma.

Aujourd'hui je sais.

J'ai interrogé Sélos, Eclectos et même Doma.

Ils connaissaient les noms de quelques-uns de ces chrétiens suppliciés à Lugdunum.

Peut-être Doma appartenait-elle à cette communauté de croyants venue des provinces d'Asie, de Phrygie, de Bithynie et du Pont ?

Elle est maintenant chrétienne, ne l'était-elle pas alors ?

Elle a soutenu mon regard quand je l'ai questionnée, mais elle ne m'a pas répondu et je n'ai pas exigé qu'elle le fasse.

Mais comment aurait-elle pu ignorer ces hommes et ces femmes venus comme elle de l'autre rive de la Méditerranée, de Smyrne ou d'Éphèse, de Phrygie ou d'Asie ?

J'ai lu ce que l'un des survivants de cette persécution qui s'était déroulée dans la pleine chaleur de l'été, alors que ma sueur se mêlait à celle de Doma, a dit de chacun de ces martyrs.

Le plus âgé était Pothin dont Eclectos m'a assuré qu'il avait plus de quatre-vingt-dix années.

Il était le chef de l'église de Lugdunum, haute silhouette blanche à la barbe et aux cheveux longs, maigre comme un ermite, le regard brûlant de ceux qui ne vivent que pour leur foi. Il était originaire de Phrygie, et Attale, qui l'assistait dans la direction de l'église, était un citoyen romain originaire de Pergame, aussi âgé que lui, connu dans toute la cité comme le représentant de la communauté chrétienne.

Je me suis souvenu des hésitations du légat, confronté à ce citoyen romain qui maîtrisait la langue de l'Empire à la manière d'un rhéteur, et qui pourtant s'adonnait à la superstition comme un esclave, un affranchi, un pauvre ou une femme !

Pouvait-on supplicier un citoyen romain de cette qualité ?, s'était interrogé devant moi Martial Pérennis. J'avais dû répondre par une mimique dubitative pour marquer mon indifférence.

Je me souciais aussi peu d'Alexandre, un médecin originaire de Phrygie dont les talents étaient tels que même les citoyens romains et les Gaulois qui haïssaient les chrétiens consultaient, assurant qu'il avait les connaissances et les pouvoirs d'un faiseur de miracles, d'un maître des secrets de l'Orient. Et j'imagine aujourd'hui que ceux qui écoutaient ces propos sans avoir bénéficié des pratiques d'Alexandre le Phrygien l'accusaient d'imposture ou de connivence avec les puissances des ténèbres.

Eclectos, Sélos, Doma m'ont livré d'autres noms.

Il y avait Sanctus qui présidait l'église de la cité de Vienne, au bord du Rhône, en aval de Lugdunum.

Il y avait Alcibiade qui venait de la province d'Asie et réussissait par sa seule prestance, son assurance, à s'imposer à la foule qui se contentait de l'insulter tout en restant à bonne distance.

Il y avait Irénée qui, adolescent, avait connu Polycarpe le martyr, qui avait quitté la Phrygie pour Rome, puis avait gagné Lugdunum où il s'était imposé par la détermination de sa foi et sa sagesse.

Mais celui qui, dans les écrits d'Irénée et dans les récits d'Eclectos, se détache comme le plus illustre des chrétiens de Lugdunum, était Vettius Epagathus, un citoyen romain de bonne noblesse. Il était riche, habitait une vaste demeure à Fourvière, menait une vie chaste et austère, vouée tout entière à secourir les plus pauvres sans se soucier de savoir s'ils étaient chrétiens. Mais son exemple, sa générosité, son désintéressement faisaient de lui, selon ce qu'en dit Eclectos, l'homme dont on voulait partager la foi ; et donc celui que le légat impérial faisait surveiller parce qu'il propageait cette superstition hostile aux dieux de l'Empire. Les délateurs, dans leurs dénonciations, l'accablaient. Vettius Epagathus, affirmaient-ils, convertissait les jeunes esclaves : ainsi cette Blandine, une servante au corps frêle dont les délateurs affirmaient qu'elle renierait sa nouvelle foi à la seule vue d'un fer chauffé au rouge. Et il en irait de même de cet esclave venu de la province du Pont que l'on nommait pour cela Ponticus. Lui aussi était un récent converti qu'il serait facile, compte tenu de sa jeunesse, d'effrayer, qui ne résisterait pas aux supplices et se chargerait en accusateur contre les chefs de la secte.

J'aurais dû et pu imaginer le destin de ces hommes et de ces femmes qui croyaient en Christos.

J'aurais dû prêter attention aux propos de Martial Pérennis, des tribuns et des centurions de la XIIIe cohorte urbaine qui réclamaient le châtiment des impies et des athées qui s'étaient mis d'eux-mêmes à l'écart de la communauté humaine et qui étaient autant d'ennemis de l'Empire.

J'aurais dû entendre les cris de la foule gauloise, les protestations des prêtres de Cybèle.

Tout était annoncé.

Mais je serrais contre moi le corps de Doma qui me paraissait être dans le monde la seule réalité capable de m'émouvoir.

Aussi n'ai-je rien vu.

Aujourd'hui, je sais pourtant ce qu'ont subi chacun de ces chrétiens dont je viens de transcrire les noms.

42.

Je me remémore les cris de la foule.

Elle avait envahi les ruelles du faubourg d'Ainai, puis s'était rassemblée devant la demeure du légat impérial, dans la cité de Fourvière. Elle hurlait, réclamant la chair et le sang de ces impies, de ces athées, de ces égorgeurs et dévoreurs d'enfants, responsables de tous les malheurs qui frappaient l'Empire. Les vrais dieux se vengeaient, exigeaient que l'empereur châtiât ces incroyants, ces ennemis de Rome qui vénéraient le dieu Christos.

Je croyais n'avoir gardé en mémoire que le souvenirs des sanglots de Doma, des frissons qui lui parcouraient le corps, de la terreur qui s'emparait d'elle, la faisant s'agenouiller devant moi, entourer mes cuisses de ses bras tremblants.

Mais je n'avais pas voulu comprendre ce que cette émotion, cette panique révélaient.

Je pense aujourd'hui qu'elle était une jeune convertie craignant de ne pas être capable de souffrir pour son Dieu, terrorisée à l'idée des supplices qui la guettaient et de la honte qui la recouvrirait à jamais si elle reniait sa foi nouvelle, si elle rejetait Christos pour se mettre à vénérer les dieux de Rome.

J'ai dénoué ses bras, l'ai forcée à s'allonger et me suis couché près d'elle.

Rien de ce qui se passait hors de cette chambre ne nous concernait.

Et j'ai basculé dans le sommeil auquel m'invitaient le silence et la quiétude des lieux.

Du moins l'ai-je cru.

Je n'avais fait qu'enfouir dans ma mémoire ces nuits et ces jours dont je retrouve aujourd'hui, intactes, la chaleur et la rumeur, la cruauté.

J'entends la voix du légat.

Debout sur la terrasse de sa demeure, il domine la foule, tend les bras vers elle comme s'il voulait lui offrir ce qu'elle réclame.

Elle s'apaise, murmure encore, telle une vague qui se retire, puis se tait. Dans le silence revenu, Martial Pérennis annonce qu'il faut que l'ordre règne dans la capitale des Gaules.

« Arrête les impies !, lance une voix. Livre les chrétiens au bourreau !

– Tous ceux qui ont violé les lois de Rome seront soumis à la justice et condamnés. Moi, légat impérial, je m'y engage. »

On l'acclame d'abord, puis on gronde :

« Maintenant, maintenant ! Applique les lois ! »

Martial Pérennis reste un moment silencieux, les bras toujours tendus vers la foule, laissant le grondement enfler, devenir plus aigu, puis faiblir.

« Célébrons ensemble le culte de Rome et d'Auguste ! », lance-t-il.

La foule hésite, puis acclame les porteurs de torches qui sortent de la demeure impériale, prennent la tête du cortège qui se forme, descend la colline, se dirige vers l'autel dressé au confluent de la Saône et du Rhône. C'est là qu'on communie, que les délégués des soixante peuples gaulois affirment l'unité de leur nation et leur rattachement à l'Empire. Les prêtres annoncent qu'à partir du 1er août, jour anniversaire de la consécration de l'autel, on célébrera avec plus de faste que jamais l'union des Gaulois, *Concilium Galliarum*, et que des concours d'éloquence et des jeux sanglants se dérouleront dans l'amphithéâtre.

Quelqu'un crie : « Les chrétiens aux lions ! »

Toute la foule hurle, obligeant les porteurs de torches à remonter vers la demeure du légat.

Les mots battent les murs, les ébranlent.

« Ordonne leur arrestation ! Maintenant, maintenant ! Juge-les, livre-les au bourreau ! »

Je vois Martial Pérennis entouré des centurions de la XIIIe cohorte urbaine. Il s'arrête devant chacun d'eux, les dévisage. Les officiers se taisent. Seul le tribun Numisius Clemens dit qu'il faut accorder au peuple de Lugdunum ce qu'il réclame.

« Les chrétiens, ajoute-t-il, ne font pas partie de la communauté humaine, celle des citoyens de l'Empire. Ils se conduisent comme des animaux pervers et incestueux, et leurs superstitions nuisent à l'Empire. Ils refusent de prendre les armes pour défendre Rome. Ils ne sacrifient pas en l'honneur des dieux protecteurs de la cité. Ils ne reconnaissent pas la divinité de César.

« Ne pas les arrêter, conclut le tribun Clemens, c'est créer le trouble dans la cité. Notre cohorte et tes prétoriens ne suffiront pas à contenir la foule des Gaulois. Ils sont des milliers qui viennent de toutes les provinces de Gaule. À leur retour, ils raconteront ce qu'ils ont vu, ce qu'ils ont fait. Toute la Gaule sera touchée. Ce que tu vas décider ici, Martial Pérennis, aura des conséquences chez tous les peuples de Gaule, les Éduens et les Helvètes, les Arvernes et les Belges. »

Je me rappelle que Martial Pérennis s'est avancé vers moi.

J'ai soutenu son regard qui me scrutait. Il exigeait un avis. J'ai cité les pensées de l'empereur qu'il répétait si souvent devant moi :

« Garde la tête froide – voilà ce que dit Marc Aurèle. Il ajoute : Révère les dieux et secours les hommes. »

Martial Pérennis a eu un mouvement d'humeur, haussant l'épaule gauche, sa bouche tordue par une grimace.

« Tu ne me dis rien !, m'a-t-il reproché.

– Tu es le légat impérial, tu décides seul.

– Mais toi, l'un des plus proches compagnons de Marc Aurèle, tu dois savoir ce qu'il veut ?

– Il dit : "Que toutes nos actions servent à accomplir totalement la vie sociale."

– On ne peut être plus clair », a alors lancé le tribun Clemens.

Martial Pérennis a encore hésité, tête baissée, mains derrière le dos, oscillant d'un pied sur l'autre comme s'il avait voulu que le mouvement de son corps reflète son indécision.

Puis, tout à coup, il s'est raidi, a écarté les centurions, s'est avancé sur la terrasse.

Les torches éclairaient le moutonnement noir de la foule. Elle a hurlé en apercevant le légat que des prétoriens, portant eux aussi des torches, escortaient.

Martial Pérennis a de nouveau tendu les bras et quand le silence s'est rétabli, il a martelé qu'à compter de cet instant, tous ceux qui célébraient le culte de Christos et propageaient sa superstition ne devaient plus paraître ni aux thermes, ni sur le forum, ni dans aucun lieu public, ni même se présenter dans des maisons privées. Ils étaient exclus de la cité, puisqu'ils avaient choisi de ne plus faire partie de la communauté humaine.

La foule a hurlé, puis a commencé à s'engouffrer dans les rues conduisant de la cité de Fourvière aux faubourgs d'Ainai, là où vivaient au bord du fleuve les Orientaux, Syriens ou Phrygiens, et où se retrouvaient les chrétiens.

Martial Pérennis a quitté la terrasse.

Il s'est arrêté devant moi et a murmuré :

« La chasse a commencé. »

43.

Combien de chrétiens sont morts sur les quais d'Ainai, dans les rues et sur le forum de Fourvière, roués de coups, lapidés, écartelés par la foule qui les pourchassait avec la rage d'une meute poussant des clameurs plus sauvages que des aboiements ?

Je ne me souviens pas d'avoir assisté à cette chasse, et pourtant les visages de cette femme, de ce vieillard sont devant moi, ensanglantés. On a brisé leurs dents, écrasé leurs lèvres en les frappant à coups de pierres. On a ainsi voulu effacer leur sourire, la douceur de leurs traits.

Il ne faut plus qu'ils puissent prier, chanter, remercier Christos de les appeler à Lui.

Il faut qu'ils cessent de répéter *« Christianus sum »*.

« Tu es chrétien ?, hurle la foule. Alors tu vas ressusciter ! »

Certains chrétiens réussissaient à fuir et à se barricader dans leurs maisons. Mais la foule les encerclait, enfonçait les portes, plaçait des fagots contre les murs puis les incendiait. Elle se taisait quand les flammes s'élevaient, quand les toits s'effondraient. Mais elle devenait folle quand elle entendait les chrétiens chanter, invoquer Christos, répéter qu'ils n'abjureraient jamais, que souffrir pour Christos était la plus grande des joies, qu'ils remerciaient leur Dieu de les éprouver ainsi.

La foule se ruait sur la maison en flammes. Elle achevait de la détruire, la pillait, jetant ce qui restait des corps dans les eaux du Rhône.

« Ressuscite, chrétien ! »

Elle ne se dispersait que lorsque apparaissaient les prétoriens du légat qui la menaçaient et tentaient de rétablir l'ordre.

J'ai en mémoire la voix du tribun Numisius Clemens faisant son rapport au légat.

« Lugdunum ne recouvrera son calme, dit-il, que si les impies ne provoquent pas, par leur attitude, la foule gauloise. »

Il y a ce noble romain, Vettius Epagathus, qui continue d'arpenter le forum, les rues, qui se rend aux thermes, que personne n'ose interpeller parce qu'on le sait riche, habitant de Fourvière, non loin de la demeure du légat. On imagine qu'il bénéficie de la protection des magistrats de Rome. Mais la colère enfle. On ne peut tolérer que la plèbe se fasse elle-même justice. Il faut arrêter les chrétiens qui sont des fauteurs de désordres. Il faut les traduire devant les tribunaux, les interroger selon les procédures légales, les libérer s'ils abjurent, les condamner à mort s'ils persistent dans leur superstition.

J'ai remarqué le geste du légat, levant à peine la main droite puis hochant la tête et murmurant : « Fais ton devoir tribun. »

J'ai vu le troupeau des chrétiens gardés par les prétoriens avancer à travers les rues de Fourvière entre la foule hurlante qui lançait des pierres.

Je les ai vus rassemblés au centre du forum et, autour d'eux, la plèbe gauloise brandissant le poing, criant qu'il fallait qu'ils avouent, qu'ils renoncent à leur superstition, qu'à défaut on devait les jeter aux bêtes.

J'ai assisté aux premiers interrogatoires.

J'ai vu les bourreaux frapper, tenailler les chairs. J'ai entendu les voix limpides sourdre de ces corps suppliciés et répéter : *« Christianus sum ».*

Martial Pérennis présidait le tribunal avec une irritation croissante. Les cris montaient de la foule, les bourreaux officiaient, mais les chrétiens ne renonçaient pas à leur foi.

Soudain, Vettius Epagathus s'est avancé sur le forum. Il a levé la main, s'est tourné vers le légat impérial, puis a tendu le bras vers les chrétiens et a lancé :

« Je veux les défendre. Ils ne sont ni impies, ni athées. Tu ne peux, légat, les accuser de crimes qu'ils n'ont pas commis. »

La foule a hurlé, protesté.

Honte à ce noble romain qui prétendait parler aux

noms de ces Orientaux, de ces Syriens, de ces Phrygiens !

Le légat a laissé passer la vague, puis s'est levé.

« Toi aussi, es-tu chrétien ?, a-t-il demandé.

– Je le suis », a répondu Vettius Epagathus.

Il avait parlé d'une voix si forte qu'elle avait empli le forum, l'espace de quelques instants empêchant la foule de crier.

Mais, bientôt, le forum ne fut plus qu'une mer déchaînée réclamant la mort pour les chrétiens et pour ce Romain qui avait trahi, choisi de renier ses dieux, de se reconnaître membre d'une secte qui ne comptait dans ses rangs que des Orientaux, des esclaves et des femmes.

« Honte sur toi, Vettius Epagathus ! »

Mais on l'a laissé quitter le forum et la foule ricanante s'était écartée, n'osant s'en prendre à celui qui n'en restait pas moins, à ses yeux, un illustre et riche citoyen de Rome.

Mais malheur aux autres !

44.

Je les ai vus, ces chrétiens dont les corps avaient perdu toute forme humaine.

Ils n'étaient plus que des amas de chair sanglante aux membres tordus et disloqués.

On les avait torturés dans les cachots situés aux abords de l'amphithéâtre afin qu'ils abjurent leur foi et avouent avoir participé à des repas de chair humaine et à des orgies incestueuses.

Puis on les avait traînés jusqu'au forum où ils avaient été poussés les uns contre les autres face au tribunal que présidait le légat impérial.

J'étais assis non loin de lui et regardais ces formes rougies de sang qui, quand Martial Pérennis les interrogeait, se redressaient, se mettaient à chanter, à prier, à répéter que rien ne pourrait les faire renoncer à leur croyance en Christos.

Le légat avait tendu le bras et demandé aux soldats qu'on fît s'avancer les accusateurs.

Alors se sont approchés, poussés par des prétoriens, les esclaves qu'on avait arrêtés en même temps que leurs maîtres chrétiens.

Je me souviens de mes sentiments de honte et de dégoût.

J'ai baissé la tête comme si j'avais craint de voir, parmi ces jeunes femmes dévêtues, Doma que j'avais laissée, prostrée, dans la chambre, le corps recroquevillé, tremblant comme si elle avait craint que des soldats fassent irruption dans la pièce, la saisissent, la traînent dans l'un de ces cachots, lui fassent assister aux supplices infligés aux chrétiens, la menacent du même traitement si elle ne dénonçait pas son maître.

Le dos et les cuisses de ces esclaves étaient lacérés par les lanières des fouets. De la hampe de leurs javelots, les prétoriens les obligeaient à s'agenouiller devant Martial Pérennis.

Et le légat, d'un geste, les invitait à parler.

J'avais entrevu leurs visages déformés par la peur, puis j'avais fermé les yeux, mais j'avais entendu ces voix aiguës, exaltées, affirmer que leurs maîtres chrétiens égorgeaient des enfants, en dévoraient les chairs, en buvaient le sang au cours de banquets qui se terminaient par des accouplements indignes.

C'était un déferlement d'accusations proférées en tremblant et en décochant des regards serviles aux magistrats et aux soldats comme pour s'assurer que la tâche était bien remplie.

Martial Pérennis s'est tourné vers moi. Son visage exprimait le mépris.

« Tu les as entendus ? », a-t-il murmuré.

Il a de nouveau interrogé l'une des esclaves qui joignait les mains, les tordait, suppliait.

« Tu n'as pas tout dit ! », lui lança le légat impérial, menaçant.

L'esclave affolée regardait autour d'elle, hésitait puis, en criant, désignant l'un des chrétiens, son maître sans doute, disait qu'elle l'avait vu mordre le cou d'un enfant, l'égorger avec ses dents, en boire le sang, et les autres chrétiens, hommes et femmes, avaient agi de même. À la fin, ils avaient même dévoré le corps vidé de son sang.

« Tu as bien vu cela ?, a demandé Martial Pérennis.

– Je l'ai vu, je l'ai vu de mes yeux ! »

La foule était entrée en transe. Les prétoriens ont eu le plus grand mal à l'empêcher d'envahir le forum. Elle s'est mise à scander qu'elle voulait la mort immédiate pour ces monstres, ces impies, ces athées.

Le tribun Numisius Clemens s'est penché vers Martial Pérennis et lui a murmuré :

« Il faut que tu lui donnes quelqu'un, sinon mes soldats ne pourront pas la contenir. »

Alors le légat impérial a fait un geste et les prétoriens ont arraché l'un des chrétiens à cette masse de corps ensanglantés.

Ce qui avait eu la forme d'un homme a été jeté au pied du tribunal alors que des prières s'élevaient des corps suppliciés, que des voix répétaient « Christos te protège, Christos te voit, Christos va t'accueillir ! Tu ressusciteras dans Ses bras, ne cède pas au démon, la foi te donnera la force, elle effacera tes souffrances ! ».

Les prétoriens ont frappé à coups de hampes, piqué de la pointe de leurs javelots ce tas de chair vivante, mais sans réussir à faire taire les chrétiens qui ont continué d'encourager celui qu'ils appelaient leur « frère » et que le légat impérial interrogeait.

« Tu te nommes Sanctus. On dit que tu es le chef de la secte chrétienne de Vienne. »

L'homme au corps couvert de plaies ne répond pas.

« M'entends-tu ? Donne-moi ton nom : es-tu esclave, citoyen romain ou affranchi ? »

Martial Pérennis continue de questionner cet homme au corps chancelant, qui regarde vers les chrétiens comme s'il n'entendait pas la voix du légat ni les hurlements de la foule.

Martial Pérennis s'est levé, penché vers l'homme.

« Vas-tu répondre ?

– *Christianus sum.*

– Tu es chrétien, soit ! Quel est ton nom ? Ton origine ?

– *Christianus sum.* »

Les voix des autres chrétiens retentissent tout à coup, répétant le nom de Christos.

Martial Pérennis s'impatiente, demande que les bourreaux obtiennent des aveux de cet homme qu'on ne peut condamner sans connaître son identité, sa place. S'il est citoyen romain, il doit en effet être décapité après que l'empereur a donné son avis.

Les bourreaux ont plongé des lames de cuivre dans les braises ardentes. Le métal est devenu blanc quand ils l'ont placé sur la chair du chrétien, entre ses cuisses, sur ses joues, contre son ventre.

J'ai entendu le grésillement de la peau.

Mais l'homme n'a pas crié alors que son corps n'était plus qu'une plaie qui se roulait instinctivement en boule, sur laquelle se penchaient les bourreaux, cherchant ce qui restait de chair intacte pour le brûler.

La foule s'était tue ; seules résonnaient les voix des chrétiens remerciant Christos qui, quand on soumettait ses croyants à la torture, prenait la place de leur corps, les rendait ainsi insensibles à la souffrance.

« Des hommes qui ne craignent pas la souffrance et qu'on ne peut donc pas châtier sont les ennemis de l'Empire », a déclaré le tribun Clemens alors que Martial Pérennis se levait, demandait qu'on reconduisît les chrétiens à leurs prisons et qu'on expédiât les esclaves aux mines.

« Ils ont trahi leurs maîtres, a maugréé le légat ; qui pourrait encore leur faire confiance ? Qu'ils creusent la terre en Sardaigne, qu'ils en extraient de l'argent et que les dieux décident s'ils doivent survivre. »

Martial Pérennis a fait quelques pas, croisé les bras, suivi des yeux le groupe des chrétiens que les soldats, à coups de lances, poussaient vers les cachots de l'amphithéâtre.

« Ceux-là, a-t-il murmuré, tu as raison, tribun : ce ne sont pas des hommes, mais des démons. Il faut qu'ils meurent. Et ils mourront. »

45.

La Mort ne s'est avancée vers les chrétiens qu'à pas lents.

C'était comme si Christos avait voulu prouver au légat et à la plèbe gauloise qui accablait d'injures, de malédictions, de coups, ceux qui croyaient en Lui, que rien, pas même les supplices les plus cruels, ne pouvait les arracher à leur foi.

Et que ses croyants surmontaient la souffrance, la recevaient comme une attention de Dieu.

Ainsi de leur exemple naîtraient de nouveaux convertis.

J'ai reconstitué ces jours de douleur et de fidélité à Christos.

Pourtant, au début, quand j'ai commencé à écrire, il m'a semblé que ma mémoire était vide.

Mais Eclectos m'a dit :

« Souviens-toi du jour où Sanctus a été de nouveau conduit au forum. Tu as vu les bourreaux enfoncer le métal chauffé à blanc dans ses plaies encore ouvertes. Souviens-toi du vénérable Pothin, de sa blanche silhouette de vieillard poussée sur le forum. Et pense à la jeune Blandine que le légat, après chaque torture, questionnait. »

Quand je l'ai interrogée, Doma m'a rappelé que je quittais la chambre pour me rendre au forum, m'asseoir près de Martial Pérennis. J'avais même voulu l'entraîner, la contraindre à assister à mes côtés aux supplices, et elle avait menacé de s'ouvrir les veines si je tentais de la tirer hors de la pièce.

J'avais renoncé.

Je rentrais à chaque tombée du jour le corps couvert de sueur, les yeux injectés de sang, hargneux comme un chien errant, apaisé seulement après m'être accouplé avec elle, et gémissant alors, la poitrine pleine de sanglots étouffés.

J'ai fait taire Doma, mais Sélos a murmuré quand je l'ai questionné :

« Maître, vous étiez au forum et dans l'amphithéâtre et je me tenais debout derrière vous. »

Durant des années j'avais donc oublié mais, à présent, chaque détail sourd de ma mémoire comme une source rouge.

On pousse Sanctus sur le forum. Son corps n'est plus qu'une plaie.

On l'a laissé pourrir trois jours dans un cachot qui n'avait pour ouverture qu'une sorte de puits juste suffisant pour laisser passer le corps d'un homme. On ne l'en a tiré que pour le soumettre une nouvelle fois à la torture.

Mais alors que son corps se cabre quand les

bourreaux approchent de lui le fer ardent, il ne répond aux questions du légat qu'en répétant qu'il est chrétien.

Et il ne meurt pas.

Il semble même que plus on le supplicie, moins il souffre.

Les chrétiens entravés qui attendent d'être torturés à leur tour crient qu'un miracle se produit sous nos yeux, que Christos a choisi Sanctus pour montrer à tous qu'Il a le pouvoir divin de faire reculer la souffrance et la mort.

Il est celui qui est ressuscité. Il promet la Vie éternelle à ceux qui croient en Lui.

Les chrétiens chantent, remercient Christos, et je vois le corps de Sanctus se redresser, reprendre forme humaine, et l'espace de quelques instants la foule cesse de hurler, fascinée, et l'on n'entend plus que les voix vibrantes, presque joyeuses, des croyants qui scandent qu'ils sont chrétiens, qu'ils ne renonceront jamais à leur foi.

Je regarde le légat. Il hésite, puis soudain, d'un geste irrité, ordonne aux prétoriens de reconduire Sanctus à son cachot, puisque le forum n'est pas le lieu où l'on donne la mort, mais celui où l'on condamne. Furieux, des Gaulois bousculent les soldats, tentent de se saisir de Sanctus, veulent se précipiter sur les chrétiens prisonniers qui ouvrent les bras, chantent plus fort, plus clair.

J'entends le tribun Numisius Clemens lancer ses ordres.

Prétoriens et centurions repoussent la foule ; le forum n'est plus que ce cercle au centre duquel les bourreaux traînent une forme grêle, une jeune femme au corps si menu et si frêle qu'il semble être celui d'une enfant. Eclectos m'a rappelé que cette esclave, servante d'une riche chrétienne, se nommait Blandine.

D'entendre ce nom a suffi pour que je me remémore les voix des chrétiens martelant, cependant que l'esclave était jetée à terre :

« Blandine, notre sœur ! Blandine, notre gloire ! Christos te voit, Christos te protège, ton corps est le sien ! »

Durant des heures, peut-être du matin jusqu'à la nuit, les bourreaux se sont acharnés sur ce corps lacéré, disloqué, transpercé. À chaque fois qu'ils cessaient de le tenailler, croyant qu'il était mort ou bien que Blandine allait abjurer, qu'elle, l'esclave, allait accuser sa maîtresse de se livrer à des agissements monstrueux, ce corps se soulevait et on entendait distinctement la voix de la jeune femme dire :

« Je suis chrétienne. On ne fait rien de mal parmi nous ! »

Elle parlait avec tant d'assurance et de vigueur que les bourreaux en paraissaient accablés, que la foule ne savait plus que murmurer. Le légat commanda qu'on réincarcérât Blandine, qu'on la suppliciât chaque jour dans son cachot, qu'on lui brisât les membres, qu'on la préparât à subir la mort dans l'amphithéâtre.

« Aux bêtes, la chrétienne ! », hurlait de nouveau la foule.

Puis elle paraissait oublier la suppliciée, se tournant vers Pothin, le vieillard qui s'avançait, protégé par une escouade de soldats.

Je me souviens de sa haute silhouette, de sa tête auréolée de longues mèches blanches.

Il avançait à pas lents et sa démarche assurée rendait la foule déjà insatisfaite, furieuse.

Elle s'élançait vers lui, cherchant à écarter et renverser les soldats puis, repoussée, elle jetait pierres et branches sur Pothin qui immédiatement s'affaissait, et les gourdins se levaient et s'abattaient malgré la présence des soldats.

Je le vis, ce vieillard blanc, devenu rouge, chanceler devant le légat impérial, mais s'immobilisant peu à peu, se redressant, comme soulevé par les voix des chrétiens qui l'encourageaient, l'assurant de leur fidélité, de leur reconnaissance, le remerciant pour l'exemple qu'il continuait de leur donner. Eux aussi, il devait en être sûr, sauraient souffrir comme Sanctus, comme Blandine et comme lui, Pothin. C'étaient ses disciples.

« Tes disciples ? », s'est étonné le légat impérial.

Il a tendu le bras, paume ouverte, demandant à la foule de faire silence.

« Si ce sont tes disciples, a-t-il repris, c'est donc toi leur dieu ? Mais quel est donc le dieu des chrétiens, toi ou Christos ? »

Pothin a esquissé un pas. Peut-être se serait-il avancé jusqu'à Martial Pérennis, mais les soldats l'ont saisi aux épaules et ont pesé sur lui pour le faire s'agenouiller.

Il a dit d'une voix pleine de fierté :

« Tu connaîtras le dieu des chrétiens si tu en es digne ! »

La foule s'est jetée en avant dans un mouvement de fureur, comme si Pothin avait voulu, en bravant le légat, la défier, commettre un acte sacrilège appelant la colère des dieux sur Lugdunum, sur la Gaule, sur tout l'Empire.

J'ai vu le vieillard couché sur le sol, piétiné, roué de coups.

On l'a traîné hors du forum, jeté dans ce puits dont le fond à peine plus large que l'orifice servait de cachot et où s'entassaient dans le noir les corps pantelants que les gardiens venaient agripper quand ils recherchaient l'un d'eux pour le conduire sur le forum à un nouvel interrogatoire.

D'affolés et misérables je n'ai vu que les quelques chrétiens qui avaient abjuré leur foi. La foule les couvrait de crachats. Elle exigeait leur mort, puisqu'ils avaient reconnu s'être livrés à tous les crimes dont on les accusait, orgies, incestes, repas de chair humaine. Mais les chrétiens qu'ils avaient trahis priaient pourtant pour eux, les implorant d'échapper aux démons qui les avaient égarés et qui leur interdisaient ainsi d'accéder à la Vie éternelle, à l'amour de Christos. Ils les interpellaient comme s'ils s'étaient agi d'enfants égarés pour qui on doit garder la porte ouverte.

« Frère, reviens parmi nous !, lançaient-ils. Sens le parfum de Christos ! Retrouve la paix. La souffrance et la peur te quitteront si tu saisis la main de Christos, et la Mort qui prend tous les hommes sera pour toi, pour nous, comme elle l'a été pour Lui, abolie. Respire le parfum de Christos, reviens à nous ! »

Certains renégats restaient prostrés, accablés, comme si les injures de la foule et les supplications des chrétiens les écrasaient. Mais d'autres, subitement, se redressaient comme s'ils renaissaient, criaient qu'ils étaient chrétiens, qu'ils voulaient marcher vers la mort avec leurs frères et sœurs, qu'ils acceptaient la souffrance qui leur serait légère, maintenant qu'ils étaient à nouveau envahis par la foi. Ils criaient qu'ils n'avaient avoué des crimes que parce qu'ils avaient été lâches et craintifs, mais qu'ils se rétractaient.

Je me souviens d'une esclave syrienne qui s'était avancée vers le légat d'une allure si déterminée que les soldats ne l'avaient pas retenue et qui, penchée sur lui, avait lancé :

« Comment voulez-vous que des gens à qui il n'est pas permis de manger la chair et de boire le sang des bêtes dévorent des enfants ? »

Au moment où les soldats la ceinturaient, elle s'était écriée :

« Je suis chrétienne !

« Aux bêtes, aux lions, les chrétiens ! », avait vociféré la foule.

46.

J'ai entendu le rugissement des fauves.

C'était la fin de l'après-midi d'un de ces jours de juin qui n'en finissent pas de s'étirer.

La foule entassée sur les gradins de l'amphithéâtre s'impatientait, hurlait, excitant les lions pour qu'ils dévorent les corps de ces chrétiens dont certains déjà n'avaient plus forme humaine.

Mais les bêtes semblaient rassasiées, lasses.

Une lionne rôdait encore, et c'est elle qui rugissait, venant flairer Blandine dont le corps ensanglanté était depuis le début des jeux attaché à un poteau, offert aux fauves qui l'avaient dédaigné.

Et maintenant que la nuit approchait, la plupart des lions s'étaient immobilisés, indifférents aux cris des spectateurs. Ils restaient le museau sur leurs pattes, ne le levant que pour pousser un rugissement, une sorte d'énorme bâillement, la gueule tournée vers le ciel qui peu à peu s'obscurcissait.

Je ne bougeais pas, assis auprès du légat impérial dans la galerie inférieure, ce *maenianum* réservé aux magistrats, aux notables de Lugdunum et aux chefs des nations gauloises représentant soixante peuples auxquels Martial Pérennis offrait ces jeux sanglants.

Je me souviens de chaque instant.

J'étais arrivé alors que l'arène était encore remplie d'esclaves qui aplanissaient le sable cependant que des bourreaux disposaient, le long de l'axe de l'arène, les instruments de supplice. Il faudrait que les chrétiens les subissent tous, conduits d'un bout à l'autre de cette arête de pierre ou *spina* qui séparait en deux parties l'arène.

La plèbe gauloise avait occupé l'amphithéâtre dès le matin. Le légat lui avait offert des combats de gladiateurs, puis on avait célébré le culte de Rome et d'Auguste. À présent, on attendait l'entrée des impies, des athées, des disciples de Christos, ceux qu'on avait condamnés sur le forum.

Je les ai vus s'avancer nus dans l'arène.

J'ai reconnu Sanctus et Attale, Blandine qui, comme toutes les femmes, ne portait qu'une étroite ceinture. J'ignorais le nom de la dizaine des autres chrétiens. Tous priaient et psalmodiaient cependant que bourreaux et soldats les forçaient à s'aligner dans une procession qui allait remonter le long de la *spina*, s'arrêtant devant chacun des bourreaux pour subir l'un des supplices prévus.

Cela a commencé par la flagellation. Des corps sont tombés, lacérés par les lanières cloutées qui s'enfonçaient dans les chairs. La foule hurlait, protestant, quand elle vit que sur ordre du légat on retirait de la file des chrétiens Attale, le citoyen romain, et Blandine, la plus jeune des femmes.

On attacha Blandine à un poteau sur lequel son corps menu et blanc semblait crucifié. On lâcha les bêtes, mais aucune d'entre elles ne bondit pour mordre la jeune esclave ou la déchirer de ses griffes.

Les fauves paraissaient ennuyés, ils s'approchaient des chrétiens, les agrippaient entre leurs pattes, les traînaient d'un bout à l'autre de l'arène, arrachant un membre mais se refusant à les dévorer comme si cette chair brûlée, labourée par les supplices, les rebutait.

Les bêtes faisaient le tour de l'arène, s'élançaient parfois sur une proie, l'abattaient d'un coup de patte qui laissait sur le corps des sillons rouges, puis l'abandonnaient malgré les cris de la foule.

Les spectateurs s'interpellaient d'un gradin à l'autre, prenaient des paris, s'indignaient de la passivité des fauves, brandissaient les poings en direction de la galerie où je me trouvais, exigeaient du légat qu'il fît entrer dans l'arène d'autres bêtes affamées et vigoureuses qui rehausseraient le spectacle, ces jeux qui ne recelaient aucune surprise.

Au fil de la journée, cependant, les mâchoires des fauves eurent broyé les nuques et les gorges de la plupart des condamnés et, à la fin du jour, ne restaient vivants qu'Attale et Blandine. La foule a protesté quand les soldats ont décroché le corps de la jeune femme et l'ont traîné avec celui d'Attale hors de l'arène, réservant leur mort pour d'autres jeux.

J'avais compris les intentions du légat impérial en l'écoutant annoncer aux prêtres et aux délégués gaulois qu'il avait expédié le matin même un courrier à l'empereur, sollicitant son avis sur le sort qu'il devait réserver aux chrétiens de plus en plus nombreux qui se dévoilaient et, parmi eux, aux citoyens romains tel Attale, comme si le martyre des croyants de Christos suscitait les conversions, le désir de mourir dans la souffrance, d'être ainsi appelés auprès de Dieu et promis à la Vie éternelle.

La réponse de Marc Aurèle parviendrait sûrement avant le début du mois d'Auguste, et l'on célébrerait ainsi par des jeux sanglants les dieux de Rome, l'union des peuples de Gaule au sein de l'Empire, et l'extermination des impies.

Pendant qu'il parlait et que la foule continuait de crier, se refusant à quitter les gradins, les bourreaux installèrent au centre de l'arène une chaise de métal autour de laquelle ils amoncelaient fagots et grosses branches. Bientôt de hautes flammes enveloppèrent le métal, et quand il ne resta plus du bois que des cendres, la chaise était rouge vif.

Alors on traîna vers elle cette forme à peine humaine que je reconnus pourtant comme étant celle de Sanctus.

Et j'entendis la plèbe scander : « Qu'il brûle, cet impie ! Sur la chaise, le chrétien ! »

On le força à s'y asseoir.

Et la foule dans l'amphithéâtre subitement se tut

comme si elle avait voulu percevoir le grésillement des chairs, l'odeur du corps qui grillait.

Mais les lions ne bougeaient toujours pas, dédaigneux des restes pantelants de ce dernier chrétien.

Et ce fut un homme qui dut achever Sanctus d'un coup de glaive.

47.

Ai-je espéré qu'un homme sauverait de la mort les chrétiens qui avaient survécu, ayant échappé aux tortures, aux glaives des bourreaux, aux crocs des bêtes fauves ?

Ai-je cru que Marc Aurèle, l'empereur du genre humain, ordonnerait au légat impérial de se montrer indulgent, de libérer ces hommes et ces femmes dont la Mort n'avait pas encore voulu ?

Je ne sais si j'ai imaginé cela en attendant la réponse de Marc Aurèle à la missive du légat.

Je me souviens que j'ai compté les jours.

Il en fallait une dizaine à un courrier pour se rendre de Lugdunum à Rome, et autant pour en revenir.

Je connaissais les hommes qui, au Palais impérial, recevaient les messages des légats. Ils prenaient leur temps avant de les soumettre à l'empereur.

Celui-ci ne lirait la lettre de Martial Pérennis que cinq ou six jours après son arrivée. Il dicterait sa réponse, mais elle ne repartirait de Rome que quatre ou cinq jours plus tard. Elle ne parviendrait ainsi à Lugdunum qu'au début du mois d'août.

Les jours de cet été furent lourds et orageux.

J'ai cherché la brise en marchant le long du Rhône, mais l'air y stagnait et c'est la bouche sèche, la sueur collant ma tunique à ma peau, que j'ai souvent pensé à ce que devait être la vie des prisonniers dans ces cachots sans air ni lumière, de vrais tombeaux pour agonisants.

J'appris que presque chaque jour on en retirait un corps mort que les chrétiens ne voulaient pas abandonner. Mais la puanteur était telle que les gardiens descendaient dans le cachot pour l'y chercher.

Les chrétiens suppliaient qu'on l'enterrât, qu'on lui donnât une sépulture digne d'un être humain. Les soldats ricanaient, écartaient les prisonniers à coups de gourdins. Ils allaient brûler le corps, disaient-ils, mais puisque leur Christos était tout-puissant, qu'il ressuscitait les morts, il saurait, d'une poignée de cendres, refaire un corps !

J'ai su cela, même si je m'efforçais de l'ignorer, faisant taire Sélos qui me rapportait ces faits et que je menaçais – peut-être même de le dénoncer comme chrétien – s'il continuait à me raconter ces fables.

Il rentrait la tête dans les épaules, balbutiait. Il s'éloignait et je me retrouvais seul avec Doma.

Le corps de mon esclave était mon vin ; le plaisir, mon ivresse.

Cependant, j'attendais, ne pouvant oublier ces corps que j'avais vu supplicier. Il me semblait que Marc Aurèle ne pouvait accepter qu'on les torturât de nouveau et les livrât aux fauves.

Je me souvenais de ses propos condamnant les effusions de sang, les combats de gladiateurs. Lorsqu'il y assistait, il avait exigé que les adversaires s'affrontassent sans risquer leur vie, comme des athlètes et non comme des tueurs. Il avait interdit qu'on leur donnât des armes effilées et imposé qu'on les contraignît à se battre avec des épées émoussées, aux pointes mouchetées.

Je l'entendais me répéter, alors qu'on lui annonçait que le gouverneur de la province de Syrie, Avidius Cassius, tentait de soulever les légions d'Orient contre lui :

« Je ne puis me fâcher contre celui qui est de même race que moi, ni le haïr, car nous sommes faits pour coopérer... Il pêche par ignorance et contre sa volonté. »

Ses proches lui remontraient le danger que représentait la rébellion d'Avidius Cassius auquel s'était rallié le préfet d'Égypte. Mais Marc Aurèle s'était obstiné :

« Le propre de l'homme, c'est d'aimer même ceux qui commettent des fautes, répondait-il. Les choses auxquelles tu es lié par le destin, harmonise-toi avec elles. Les hommes auxquels tu es lié par le destin, aime-les, mais vraiment : en faisant le bien, tu te fais du bien à toi-même. »

Comment cet homme-là, qui m'avait conseillé la mesure, la compréhension d'autrui, qui m'avait dit : « Que ceux qui font obstacle à ton progrès dans la droite raison ne te détournent pas de ta pratique du bien, qu'ils ne réussissent pas non plus à te faire perdre ta douceur à leur égard », comment aurait-il pu vouloir que le corps de l'esclave Blandine fût torturé, brûlé, démembré par les mâchoires d'un fauve ?

« Il a voulu sa mort et tu le sais, m'a dit Eclectos. Marc Aurèle croyait aux dieux de Rome. Il célébrait le culte d'Auguste et d'Antonin comme s'il s'était agi de dieux. Il ne pouvait admettre que des hommes et des femmes reconnussent un Dieu unique, seul empereur de la nature et du genre humain. Il n'était bienveillant qu'à l'égard de ceux qui se pliaient aux lois de Rome et respectaient celles de l'Empire. Il était le Grand Pontife. Comment aurait-il toléré qu'on ne sacrifiât pas aux divinités grecques et romaines ? à Jupiter et Cybèle ? Tu savais tout cela, Julius Priscus, et tu veux me faire croire aujourd'hui que tu as imaginé que Marc Aurèle pouvait, lui, l'empereur, arracher aux griffes des fauves, au métal rougi, Attale, Blandine et les autres chrétiens de Lugdunum ? Tu n'as pas douté un instant de sa réponse au légat ; peut-être même l'as-tu souhaitée. Tu es citoyen de Rome. Tu étais l'ami de Marc Aurèle. Cherche en toi ce que tu as pensé ! »

Je sais seulement qu'à la fin de juillet, un courrier est arrivé de Rome, porteur de la réponse de l'empereur.

Elle était brève, nette et dure.

Les renégats, dès lors qu'ils avaient réaffirmé

l'abandon de leur foi en Christos, devaient être relâchés. Mais tous ceux qui, se déclarant chrétiens, persévéraient dans leur superstition, leur croyance en la résurrection, qui refusaient donc les dieux de Rome, devaient être mis à mort et ce, quels que fussent leur condition, leur sexe, leur âge.

Ainsi le voulaient la loi de Rome et donc l'empereur du genre humain.

Eclectos a raison. Je n'aurais pas dû douter – et peut-être ne l'avais-je pas fait – de la réponse de Marc Aurèle.

Je me souviens maintenant de ce qu'il me disait quand je lui rapportais l'opposition de tel ou tel à une décision impériale.

« Essaie d'abord de le persuader, mais agis contre sa volonté si l'ordre de la justice l'exige », m'avait-il conseillé.

Et, pour lui, sans doute aussi pour moi, en ces années-là, je l'avoue, la justice exigeait le respect de la loi, et donc le châtiment des chrétiens.

Tout était prêt, selon les ordres du légat impérial, pour qu'il leur fût infligé dès les premiers jours du mois d'Auguste.

48.

Cela commença le 1er août au matin et se termina le 3 du même mois alors que la nuit tombait.

Je veux parler du châtiment des chrétiens de Lugdunum ordonné par Marc Aurèle et réclamé par la plèbe romaine et gauloise ; du martyre d'Attale et d'Alexandre, de Blandine et de Ponticus, des autres – peut-être plus d'une trentaine – dont j'ignore les noms.

Les gradins de l'amphithéâtre avaient été envahis dès l'aube par tous les habitants de la ville, citoyens romains de la cité de Fourvière et Syriens et Grecs des faubourgs d'Ainai, bateliers et pêcheurs vivant sur les bords du Rhône, venus à Lugdunum pour célébrer leur union dans le grand empire du genre humain.

Cette foule criait, clamait sa haine et sa joie, trépignait d'impatience, aboyait son désir de voir souffrir et mourir.

La rumeur m'a réveillé.

L'amphithéâtre était situé à faible distance de la demeure du légat impérial où je résidais.

Je me souviens que Doma s'est cramponnée à moi, me suppliant de ne pas me rendre à ce spectacle, à ces jeux, à ce carnage, mais chaque jour j'ai rejoint la galerie inférieure de l'amphithéâtre où se trouvaient les notables, les magistrats, les prêtres de Cybèle rassemblés autour du légat impérial.

J'ai vu ainsi mourir Attale et Alexandre, Blandine et le jeune Ponticus, presque un enfant.

Puis j'ai tout oublié.

Mais voici que tout revit.

Alexandre et Attale sont entrés les premiers.

Alexandre s'est avancé d'un pas lent, comme s'il marchait dans le désert, comme s'il ne sentait pas les mains des soldats qui l'agrippaient, puis le torturaient, lui faisant subir, au milieu des cris de la foule, tous les supplices.

Après chacun d'eux il se redressait, chancelant, poussé, projeté vers le suivant qu'il acceptait en silence, avec la même indifférence, comme si son corps qu'on perçait, tailladait, brûlait, ne lui avait pas appartenu. Au bout de la *spina*, après qu'on l'eut assis sur la chaise de métal chauffée à blanc, Alexandre n'a pas pu se relever et un soldat l'a égorgé, puis des esclaves, à l'aide de crochets, ont arraché son corps au siège infernal.

Le tour d'Attale est venu. Il a crié aux spectateurs :

« C'est vous qui êtes des mangeurs d'hommes ! Quant à nous, nous ne faisons rien de mal. »

On l'a poussé sur la chaise et sa chair s'est mise à fumer, à exhaler cette odeur qui prenait à la gorge, donnait des haut-le-cœur. Dans le silence qui s'était établi, un magistrat lui a lancé :

« Quel nom a Dieu ?

– Dieu n'a pas de nom comme en ont les humains, a répondu Attale dans un cri.

Sa tête est retombée sur sa poitrine et le même soldat qui avait achevé Alexandre lui a tranché le cou.

Son corps a été tiré par les esclaves sur le sable gris de l'arène.

Il y eut ensuite des combats de gladiateurs, puis les bêtes fauves ont été lâchées et elles se sont emparées des corps, les déchiquetant à grands coups de gueule.

Et ainsi se sont succédé les jours jusqu'à ce 3 août où ont été poussés et questionnés dans l'arène Blandine et Ponticus.

Ils avaient assisté, entravés, à tous les supplices de leurs frères et sœurs. Ils savaient ce qu'ils allaient subir. Voulaient-ils enfin reconnaître les dieux de Rome, renier leur foi ? Qu'ils rejettent Christos, ainsi ils seraient libres !

La plèbe grondait, craignant sans doute qu'ils renonçassent à leur foi, privant ainsi ce dernier jour du plus beau des spectacles : le supplice d'une frêle jeune femme au corps nu et de ce Ponticus qui ressemblait à un enfant.

Ils refusèrent, Blandine exhortant Ponticus à supporter les souffrances, lui rappelant que Christos offrait la résurrection et la Vie éternelle.

Et lorsqu'il expira au bout de la *spina*, Blandine se redressa.

Elle était seule dans l'arène, dernière des chrétiens, semblant impatiente de rejoindre ses frères et sœurs en Christos.

Blandine marche de supplice en supplice. Je la devine pleine de hâte, fière et allègre, ne paraissant pas ressentir la souffrance, suscitant par son attitude la fureur de la foule.

On la flagelle et son corps nu est strié de lignes de sang.

On fait entrer les fauves. Ils la flairent, lui donnent quelques coups de pattes. Elle tombe. La foule se lève, attend qu'ils la dévorent, mais les fauves se contentent de la traîner, puis l'abandonnent.

Il faut en finir.

On jette sur Blandine un filet. On lâche un taureau qui se précipite sur cette chair sanglante, la saisit entre ses cornes, la lance en l'air, la piétine, la projette à nouveau. Puis se détourne.

Blandine est morte.

Près de moi, le tribun Clemens se penche vers le légat impérial.

Je me souviens du dégoût que j'ai éprouvé en l'entendant dire à Martial Pérennis :

« On a été trop doux. Il faudrait à l'avenir inventer des châtiments plus sévères. »

Je me suis levé. J'ai quitté la galerie de l'amphithéâtre, regagné la chambre plongée dans la pénombre.

Après que les esclaves eurent apporté des lampes, j'ai aperçu Doma recroquevillée.

Il me semble que c'est à cet instant que j'ai éprouvé pour elle plus que du désir.

J'ai tendu la main. J'ai caressé ses cheveux dont les longues mèches lui cachaient le visage.

Elle a relevé la tête, m'a longuement regardé.

J'ai fermé les yeux afin de dissimuler mon émotion, mais aussi comme si je craignais qu'elle découvrît dans mon regard le reflet du spectacle d'horreur auquel je venais d'assister.

49.

J'ai cherché à effacer de ma mémoire le souvenir de cette horreur.

Mais les corps des chrétiens étouffés dans leur cachot, au fond de ces puits exigus, ont été entassés sur le forum.

À quelques pas de cet enchevêtrement de cadavres, les esclaves ont déversé des tronçons de chair, des os broyés, des membres calcinés, des têtes coupées, tout ce qui restait des corps suppliciés dans l'amphithéâtre.

La foule s'est pressée autour de ces deux amoncellements macabres gardés par des soldats.

Je n'ai pu m'empêcher de me mêler à la plèbe romaine et gauloise, de rôder autour de ces débris de vie que les chiens, se faufilant entre les jambes des soldats, venaient flairer, lacérer, se disputer.

La foule riait, les encourageait.

J'ai entendu des prêtres de Cybèle ou de Jupiter qui, en gesticulant, prenaient la foule à témoin.

« Ils ont cru en la résurrection, criaient-ils en montrant les corps ou ce qu'il en restait. Et ils ne ressuscitent pas ! Qu'est-ce que ce Dieu unique qui laisse ses croyants mourir dans la souffrance et les abandonne ?

Qu'est-ce que ce Dieu qui ne connaît pas une nation libre, pas un royaume ? Pauvre Dieu, pauvre superstition ! Ou il ne veut pas, ou il ne peut pas secourir les siens ! Il est impuissant ou injuste ! Ceux-là, regardez-les ! Ils ont refusé de vivre et ils ne ressuscitent pas ! Ils ont préféré leur superstition à la vie, et que sont-ils devenus ? De la viande pour les chiens ! »

La foule riait, murmurait qu'il aurait fallu soumettre les chrétiens à des supplices plus cruels. Elle s'indignait : des chrétiens obstinés vivaient encore à Lugdunum, y pratiquaient leur culte. Ils se livraient à leurs repas de chair humaine, à leurs orgies ! Quand donc extirperait-on définitivement ces impies, ces créatures nuisibles qui, pénétrant dans le corps de l'Empire, l'infectaient, l'affaiblissaient, le rongeaient de l'intérieur ?

Il fallait les débusquer, les exterminer, jeter leurs corps parmi ces cadavres, montrer à tous que la résurrection ne se produisait pas, qu'elle n'était qu'une superstition, un mensonge pour attirer femmes, esclaves, impies dans la secte de Christos.

Il fallait donc que chacun constate que leurs corps pourrissaient, que leur chair n'était que la pitance de chiens errants.

Tant que ces corps et ces débris humains sont restés sur le forum, l'horreur est demeurée en moi.

J'ai demandé au légat impérial qu'il les retire. Il m'a regardé avec étonnement. Les exposer était le seul moyen de montrer que la mort était toujours victorieuse, que les prêtres de Christos ne prêchaient que mensonges. C'était pour éviter cela que, la nuit, des chrétiens cherchaient à s'emparer des dépouilles en tentant de corrompre les soldats. Ils voulaient leur donner une sépulture, cacher leur décomposition, faire des tombeaux des lieux de pèlerinage.

J'ai ainsi appris de la bouche même du légat impérial que la foule ne se trompait pas. Des chrétiens avaient survécu. Vettius Epagathus et Irénée vivaient encore, cachés à Lugdunum ou dans les faubourgs. Ils rassemblaient de nouveaux convertis, annonçaient la fin des temps, prédisaient le règne de l'Antéchrist. Le martyre des chrétiens était la preuve que Dieu voulait éprouver ses fidèles, les soumettre à la loi de la bête et des démons avant d'apparaître et de faire ressusciter ceux qui avaient souffert pour Lui.

J'avais écouté le légat avec des sentiments mêlés, accablement et allégresse, comme si deux êtres s'opposaient en moi.

L'un était accablé par la persistance de cette superstition qui prouvait que l'homme refusait la sagesse et la raison, et qu'il faudrait donc continuer d'appliquer la loi, peut-être même la rendre plus implacable.

L'autre se réjouissait de savoir que des chrétiens continuaient d'honorer leur dieu et qu'aucune souffrance, aucune crainte n'avait réussi à les faire renoncer à leur foi en Christos.

C'était cette partie-là de moi qui caressait les cheveux de Doma, prenait son visage entre mes paumes, la regardait comme si je découvrais en elle la beauté d'une âme.

Je lui ai dit que nous allions quitter ensemble Lugdunum.

Ce jour-là, septième jour après la mort de Blandine, le légat impérial avait enfin donné l'ordre de brûler les cadavres et les débris de corps entassés sur le forum, puis d'en jeter les cendres dans le Rhône.

Je me suis avancé vers Doma, j'ai tendu ma main vers elle sans la toucher.

Les mots jaillissaient de mes lèvres sans que je les eusse prémédités. J'ai dit à Doma que sitôt arrivés à Rome, je l'affranchirais.

« Tu seras une femme libre. »

Pour la première fois depuis le début des jeux sanglants, j'ai senti que l'horreur s'éloignait de moi.

J'ai répété :

« Tu seras libre de choisir. »

Et j'ai pensé à Blandine qui, à la vie dans le reniement, avait préféré la liberté de croire et de mourir en son Dieu.

Il m'a semblé que je venais de lui offrir en hommage la liberté de Doma, qu'elle le savait et qu'elle en était heureuse.

SEPTIÈME PARTIE

50.

J'ai tenu ma promesse. J'ai affranchi Doma et j'ai détourné la tête pour ne pas voir les larmes couler sur ses joues et ses mains qu'elle joignait pour me remercier, presque m'implorer.

Je ne voulais pas lui montrer mon émotion quand, s'approchant de moi, elle a murmuré :

« Garde-moi auprès de toi, Maître. Je reste la plus obéissante de tes esclaves. Tu pourras toujours faire de moi ce que tu voudras. »

J'ai reculé. Je me suis senti honteux.

Depuis mon retour à Rome, alors que j'avais enfoui au plus profond de ma mémoire ce que j'avais vu à Lugdunum, je vivais dans l'hésitation et l'incertitude.

J'avais rencontré Marc Aurèle à plusieurs reprises et j'avais été frappé par sa maigreur, la pâleur de son visage, la lenteur de son élocution, la mort qui semblait se lover en chacune de ses phrases.

« Il faut agir, parler, penser comme si dès maintenant tu pouvais cesser de vivre », me répétait-il.

J'avais eu l'intention d'évoquer la lettre qu'il avait écrite au légat impérial et qui avait décidé du sort des chrétiens de Lugdunum. Mais ma volonté s'était dissoute dans l'oubli devant cet homme dont la sagesse, la mesure, la rigueur interdisaient de croire qu'il pût prendre des décisions aussi cruelles.

Elles ne pouvaient que lui avoir été imposées par la nécessité.

Et pourtant j'avais vu le corps déchiqueté de Blandine, celui de Ponticus, d'Attale, de tous les autres dont j'ignorais le nom.

Il m'a semblé que Marc Aurèle, me regardant longuement, devinait mon trouble. Il a murmuré :

« Je ne dois pas user de ce qui me reste de vie à m'imaginer ce que pensent les autres, à moins que ce ne soit en rapport avec l'intérêt général. »

Il m'a pris les mains, les a serrées et a ajouté :

« Je ne vis pas, Priscus, comme si je devais le faire dix mille ans. L'inévitable est suspendu sur moi. Tant que je vis encore, tant que cela m'est encore possible, je veux devenir chaque jour davantage un homme de bien. Il faut fouiller au-dedans. C'est là que se trouve la source du bien, et elle peut jaillir toujours à nouveau pourvu qu'on fouille toujours. »

Qu'aurais-je pu reprocher à un tel homme, à un empereur que le pouvoir ne grisait pas, qui proclamait son respect pour les philosophes et qui n'hésitait pas à me confier avec une moue de mépris :

« Alexandre, César, Pompée ? Qui sont-ils en face de Diogène, de Héraclite et de Socrate ? Ces derniers ont pénétré les choses, les causes, les matières ; les principes directeurs de leurs âmes se suffisaient à eux-mêmes. Mais les autres ! Que de pillages, que de gens réduits en esclavage ! »

Cet homme-là pouvait-il, par respect de la loi, par devoir romain, par souci de ne pas laisser l'Empire empoisonné par la superstition des chrétiens, avoir choisi de livrer aux supplices des hommes, des femmes, des jeunes gens à peine sortis de l'enfance ? Car c'est sur son ordre que le légat impérial avait fait torturer, asseoir sur la chaise de métal chauffé à blanc, les chrétiens de Lugdunum !

Cette lettre qu'il avait écrite, l'avait-il oubliée lorsqu'il me disait :

« C'est le propre de l'âme, si elle est raisonnable, d'aimer son prochain, ce qui correspond à la fois à la vérité et au respect. »

Attale, Blandine, Sanctus, Alexandre, Pothin, Ponticus n'étaient-ils pas ses prochains ?

Mais il y avait, je le savais, l'« ordre raisonnable de la justice » – ainsi qu'il l'avait écrit –, la rigueur de la loi, le nécessaire respect des dieux de Rome et, face à cela, ces chrétiens qui ne voulaient reconnaître que leur Dieu unique !

À écouter Marc Aurèle, à l'observer, je devinais qu'il était déchiré tout comme je l'étais. Et peut-être comme moi préférait-il oublier, ne pas imaginer les conséquences des ordres qu'il avait donnés, conformes aux lois que son devoir d'empereur l'obligeait à appliquer.

Cette fatigue que tout son corps, sa voix avouaient,

était produite par cet écartèlement entre ce qu'il pensait et ce qu'il faisait.

Il était las de gouverner.

La mort s'offrait à lui comme le moyen d'échapper à cette souffrance à l'idée de ce qui allait advenir après lui avec ce fils brutal, borné, cruel, ce Commode qu'il avait choisi comme successeur.

J'ai parfois pensé que Marc Aurèle, qui méprisait les chrétiens, leur reprochait d'aller vers la mort avec une sorte de hâte, le sentiment qu'elle les libérerait des tourments de ce monde et qu'ils accéderaient ainsi à la Vie éternelle et à la paix par la résurrection, n'était pas si différent d'eux.

Il m'a dit une fois :

« Pourquoi tenir à prolonger mon séjour ici-bas ? »

Puis il s'est repris, comme si cet aveu – ce désir – lui avait échappé, comme s'il avait regretté d'avoir confessé qu'il souffrait de l'ingratitude des hommes, de leur incompréhension, de la nécessité où il se trouvait – c'était son métier d'empereur – d'avoir à les combattre.

Il avait ajouté :

« Mais il ne faut pas quitter les hommes avec des sentiments moins bienveillants à leur égard. Non, il faut prendre congé d'eux en restant fidèle à ce qui est mon habitude propre : les quitter dans l'amour, l'indulgence, la miséricorde. »

C'étaient les trois mots qu'employait souvent Eclectos et qui exprimaient, disait-il, les sentiments chrétiens. Était-il donc impossible d'imaginer qu'un jour les lois changeraient, qu'elles admettraient que des citoyens romains croient en Christos sans être traqués, condamnés, suppliciés ? Que la persécution cesserait ?

J'ai évoqué cette perspective avec Hyacinthe qui était le conseiller, l'affranchi de Marcia, cette femme devenue la concubine de Commode et qui avait vécu dans l'entourage de Marc Aurèle. Hyacinthe, comme elle, était chrétien. Ils voulaient l'un et l'autre tuer Commode et m'entraîner dans leur complot.

Puis, à Capoue, j'ai posé ces mêmes questions à Eclectos.

« Le moment viendra, m'a-t-il répondu. Tu marches vers nous, Priscus, et un jour l'empereur sera chrétien. Mais, même s'il ne l'est pas, il nous reconnaîtra comme des citoyens qui ne demandons que l'application du droit commun. Nous ne voulons pas être punis pour le nom que nous portons, la foi qui est la nôtre. Nous ne menaçons personne. Nous ne pouvons souffrir la vue d'un homme que l'on fait mourir, même justement. Nous avons renoncé aux spectacles de gladiateurs et de bêtes, et tu sais bien, Priscus, que Marc Aurèle lui-même éprouvait du dégoût pour ces jeux sanglants. Nous, nous pensons qu'il n'y a guère de différence entre regarder un meurtre et le commettre ! Qu'on ne nous juge pas pour cela, mais pour les délits que nous commettons. Quand un philosophe devient criminel, on le juge pour son crime et on n'en rend pas la philosophie responsable ! Si des chrétiens sont coupables de crimes, il faut n'épargner ni le sexe ni l'âge, mais les exterminer avec femmes et enfants ! Si ce sont des inventions sans autre fondement que l'opposition naturelle du vice et de la vertu, il revient aux magistrats d'examiner notre vie, notre doctrine, et... »

Eclectos s'était interrompu et avait levé la main, l'index dressé :

« Écoute bien, Julius Priscus : les magistrats doivent prendre en compte notre soumission dévouée à l'empereur et à l'Empire. »

Il m'avait saisi le bras, l'avait étreint :

« Écoute bien, Julius Priscus !, avait-il répété. C'était sous le règne de Néron, l'Antéchrist, la Bête, et pourtant Paul de Tarse, l'un de nous, qui avait connu Christos, a déclaré alors : "Que chacun soit soumis aux puissances régnantes, car il n'y a pas de puissance qui ne vienne de Dieu. Les puissances qui existent sont ordonnées par Dieu en sorte que celui qui fait de l'opposition aux puissances résiste à l'ordre établi par Dieu." »

Les doigts maigres d'Eclectos s'étaient enfoncés dans ma chair.

« Priscus, nous sommes dignes d'être les meilleurs citoyens de Rome. Le jour viendra de l'union des chrétiens et de Rome. Alors l'Empire sera vraiment celui du genre humain. »

51.

Je ne sais dans combien de temps l'Empire qui régnera sur le genre humain sera chrétien.

Mais je crois en la prophétie d'Eclectos.

Je vais chaque jour jusqu'à lui. Il n'est plus de ce monde, mais il est couché sous cette dalle de pierre grise, au centre de la clairière aux sept cyprès.

Je m'adosse au tronc de l'un des arbres. Je ferme les yeux, laisse la pluie d'automne glisser sur moi, ou bien le soleil immobile d'août me brûler la peau.

J'aime l'odeur de la terre gorgée d'eau, l'âcre parfum des herbes sèches. Ma tête est pleine de rumeurs, de mots, de souvenirs.

Lorsque je doute qu'un jour Christos deviendra l'un des dieux de Rome, voire, peut-être, le Dieu unique de l'Empire, je ne me répète pas les propos d'Eclectos, mais ceux de Marc Aurèle.

Il souriait avec une commisération pleine de tendresse quand un événement me surprenait :

« Qu'il est ridicule et étrange de te voir t'étonner de ce qui arrive dans la vie ! »

Si je protestais, essayant de lui remontrer que ce qui survenait était imprévisible, il haussait la voix, s'impatientait comme lorsque le maître s'adresse à un élève borné :

« Quoi qu'il t'arrive, cela t'était proposé de toute éternité, Priscus. C'est dans l'entrelacement des causes que, de toute éternité, ont été placés ton existence et ce qui t'advient. »

Alors, pourquoi pas un jour un Empire chrétien ?

Mais Marc Aurèle m'avait aussi mis en garde contre l'illusion ou l'espoir de croire que ce qui va naître est nouveau, que cet Empire chrétien, s'il surgissait, permettrait aux hommes de vivre dans le bien.

Ç'avait été la certitude de Christos. C'était l'espérance de Doma et de Sélos. Il m'arrivait de la partager. Puis j'écoutais la voix déjà lointaine de Marc Aurèle :

« Tu dois, Priscus, songer continuellement à quel point tout ce qui est déjà arrivé est semblable à ce qui arrive, et songer à ce qui arrivera, qui ne sera pas différent. Il faut te placer devant les yeux, dans leur ensemble, les drames et comédies du même genre dont tu as été toi-même le témoin ou qu'une ancienne tradition t'a fait connaître, par exemple l'ensemble de la cour de Hadrien, de celle d'Antonin, de celles de Philippe, d'Alexandre ou de Crésus. Tout cela est pareil ; seuls les acteurs sont différents. »

À ce moment-là, la fatigue m'accablait comme si cet avenir qui n'était qu'une répétition dénuée d'espérance était le pire des destins.

Je me laissais glisser le long du tronc du cyprès. Mes jambes étaient d'heure en heure plus lourdes, de moins en moins capables de me porter.

Je m'asseyais donc sur la terre.

J'ouvrais les yeux. Déjà la pénombre du crépuscule recouvrait d'un voile noir la sépulture d'Eclectos.

L'heure de mon propre départ était proche.

J'avais tant vu se succéder de visages autour de moi, entendu de cris d'agonie ou de triomphe !

Il me semblait que déboulait vers moi un amoncellement de corps qui allaient me recouvrir. J'avais oublié les noms de tous ces morts dont les membres raidis paraissaient s'agripper les uns aux autres.

Parmi eux je reconnaissais néanmoins Blandine et Eclectos, Marc Aurèle et Commode.

J'entendais encore les imprécations du Sénat après que Marcia et Hyacinthe eurent enfin réussi – sans moi – à faire tuer le fils de Marc Aurèle, qu'il avait fallu étrangler.

« Qu'on le traîne avec un croc, l'assassin des innocents !, avait-on hurlé. Qu'on mette son corps en pièces comme celui d'un gladiateur tué ! »

Commode n'était-il d'ailleurs pas l'un d'eux, lui qui avait livré sept cent trente-cinq combats et s'était fait tant de fois sodomiser dans la loge impériale sous les yeux des spectateurs rassemblés dans l'amphithéâtre ?

« Ennemi des dieux, parricide du Sénat, oui, qu'on le traîne avec un croc, qu'on abatte ses statues, qu'on traîne le meurtrier des citoyens ! Aux lions, les délateurs ! »

Et on avait acclamé le nouvel empereur, Pertinax, qui serait lui-même assassiné deux mois et vingt-sept jours plus tard...

Je n'avais même plus voulu connaître le nom de son successeur. J'avais interrompu Sélos qui faisait mine de vouloir le prononcer. J'avais demandé à ce que Doma me rejoigne avec notre fils.

Car j'avais un enfant d'elle.

Cela comblait ma vie et la taraudait, puisqu'il allait falloir que je la quitte, que je ne puisse plus poser ma main sur la nuque de cet enfant.

Je l'avais prénommé Marcus. Je n'avais pas souhaité savoir en toute certitude si Eclectos l'avait baptisé dans la clairière aux sept cyprès.

Lorsque j'avais deviné que Doma voulait me prévenir de ce qu'elle avait décidé, j'avais placé ma paume sur sa bouche et l'avais forcée à quitter ma chambre en lui murmurant :

« Fais ce que tu dois, fais ce que tu crois. »

Je ne quitte donc la clairière aux sept cyprès que lorsque la nuit est tombée, que j'entends les voix des chrétiens, esclaves et affranchis de ma maison, qui s'approchent.

Ils vont se rassembler autour de la tombe d'Eclectos. Ils vont prier. Sélos, Doma et Marcus sont parmi eux.

Je m'éloigne.

Je tâtonne parmi les allées, m'arrêtant souvent pour reprendre souffle, me souvenant de l'une des dernières pensées de Marc Aurèle alors que la mort avait déjà posé ses griffes sur sa tête.

« Je vais à travers les êtres de la nature jusqu'à ce

que je tombe et entre dans le repos. Je rendrai mon souffle à cet air dont chaque jour je le tire. Je tomberai sur cette terre dont mon père a extrait la semence génératrice, ma mère le sang de mon corps, et ma nourrice son lait. C'est de la terre que chaque jour depuis tant d'années me viennent nourriture et boisson, c'est elle qui porte mes pas et qui sert à tant de mes besoins. »

J'entendais, en approchant de ma demeure, la voix de mon fils.

Les chrétiens étaient donc déjà rentrés de la clairière.

Je m'arrêtais sous les portiques de la cour intérieure.

Je m'asseyais là où Eclectos avait jadis pris place.

J'appuyais mon dos à la colonne de porphyre où il avait appuyé le sien.

Je ne pensais plus à l'Empire chrétien qui surgirait sans doute un jour et gouvernerait le genre humain.

J'étais préoccupé de moi, de ce reste de vie qui s'effilochait.

Je guettais les cris, les rires, les pleurs de Marcus.

Le moindre éclat de sa voix me brûlait le corps.

Je quittais la cour, des esclaves s'empressaient, disposaient les lampes dans la bibliothèque.

Je posais mes mains à plat sur les manuscrits, ces *Pensées* de Marc Aurèle qui avaient imprégné ma vie et qui m'appartenaient comme la sueur est à un corps.

Il disait, je disais :

« Quel mince fragment du temps infini et insondable est la part de chaque être ! Très vite il disparaît dans l'éternité. Quel mince fragment de la substance totale ! Et de l'âme universelle ! Sur quelle petite motte du globe terrestre marches-tu ? Songe à tout cela, et pense que rien n'est grand comme d'agir comme le veut la nature et de subir ce que produit la nature universelle. »

J'écoutais les bruits de la maison.

J'entendais la voix de Doma appelant les esclaves afin qu'elles se rassemblassent autour de Marcus pour le baigner, le nourrir, le bercer, l'endormir.

Et mon cœur se serrait.

« Que demandes-tu ? À vivre encore ? Mais est-ce pour sentir ? Pour vouloir ? Pour grandir ? Pour s'arrêter encore ? Pour user de la parole ? Pour réfléchir ? Qu'est-ce qui, dans tout cela, te paraît mériter d'être désiré ? Si chacune de ces choses est méprisable, va donc au but final : obéis à la raison et à Dieu. Mais il est contradictoire d'attacher du prix à cette obéissance et d'être accablé par l'idée que la mort nous en privera. »

J'étais seul.

La demeure s'enfonçait dans le silence de la nuit.

Puis Doma venait s'allonger près de moi, donnant sa chaleur à mon corps froid.

Je m'apaisais.

Table

DU MÊME AUTEUR

ROMANS

Le Cortège des vainqueurs, Robert Laffont, 1972.
Un pas vers la mer, Robert Laffont, 1973.
L'Oiseau des origines, Robert Laffont, 1974.
Que sont les siècles pour la mer, Robert Laffont, 1977.
Une affaire intime, Robert Laffont, 1979.
France, Grasset, 1980 (et Le Livre de Poche).
Un crime très ordinaire, Grasset, 1982 (et Le Livre de Poche).
La Demeure des puissants, Grasset, 1983 (et Le Livre de Poche).
Le Beau Rivage, Grasset, 1985 (et Le Livre de Poche).
Belle Époque, Grasset, 1986 (et Le Livre de Poche).
La Route Napoléon, Robert Laffont, 1987 (et Le Livre de Poche).
Une affaire publique, Robert Laffont, 1989 (et Le Livre de Poche).
Le Regard des femmes, Robert Laffont, 1991 (et Le Livre de Poche).
Un homme de pouvoir, Fayard, 2002 (et Le Livre de Poche).
Les Fanatiques, Fayard, 2006.

SUITES ROMANESQUES

La Baie des Anges :
I. *La Baie des Anges*, Robert Laffont, 1975 (et Pocket).
II. *Le Palais des Fêtes*, Robert Laffont, 1976 (et Pocket).
III. *La Promenade des Anglais*, Robert Laffont, 1976 (et Pocket).
(Parue en 1 volume dans la coll. « Bouquins », Robert Laffont, 1998.)

Les hommes naissent tous le même jour :
I. *Aurore*, Robert Laffont, 1978.
II. *Crépuscule*, Robert Laffont, 1979.

La Machinerie humaine :
- *La Fontaine des Innocents*, Fayard, 1992 (et Le Livre de Poche).
- *L'Amour au temps des solitudes*, Fayard, 1992 (et Le Livre de Poche).
- *Les Rois sans visage*, Fayard, 1994 (et Le Livre de Poche).
- *Le Condottiere*, Fayard, 1994 (et Le Livre de Poche).
- *Le Fils de Klara H.*, Fayard, 1995 (et Le Livre de Poche).
- *L'Ambitieuse*, Fayard, 1995 (et Le Livre de Poche).
- *La Part de Dieu*, Fayard, 1996 (et Le Livre de Poche).
- *Le Faiseur d'or*, Fayard, 1996 (et Le Livre de Poche).
- *La Femme derrière le miroir*, Fayard, 1997 (et Le Livre de Poche).
- *Le Jardin des Oliviers*, Fayard, 1999 (et Le Livre de Poche).

Bleu, blanc, rouge :
I. *Marielle*, Éditions XO, 2000 (et Pocket).
II. *Mathilde*, Éditions XO, 2000 (et Pocket).
III. *Sarah*, Éditions XO, 2000 (et Pocket).

Les Patriotes :
I. *L'Ombre et la Nuit*, Fayard, 2000 (et Le Livre de Poche).
II. *La flamme ne s'éteindra pas*, Fayard, 2001 (et Le Livre de Poche).
III. *Le Prix du sang*, Fayard, 2001 (et Le Livre de Poche).
IV. *Dans l'honneur et par la victoire*, Fayard, 2001 (et Le Livre de Poche).

Les Chrétiens :
I. *Le Manteau du soldat*, Fayard, 2002 (et Le Livre de Poche).
II. *Le Baptême du roi*, Fayard, 2002 (et Le Livre de Poche).
III. *La Croisade du moine*, Fayard, 2002 (et Le Livre de Poche).

Morts pour la France :
I. *Le Chaudron des sorcières*, Fayard, 2003.
II. *Le Feu de l'enfer*, Fayard, 2003.
III. *La Marche noire*, Fayard, 2003.

L'Empire :
I. *L'Envoûtement*, Fayard, 2004.
II. *La Possession*, Fayard, 2004.
III. *Le Désamour*, Fayard, 2004.

La Croix de l'Occident :
I. *Par ce signe tu vaincras*, Fayard, 2005.
II. *Paris vaut bien une messe*, Fayard, 2005.

Les Romains :
I. *Spartacus. La Révolte des esclaves*, Fayard, 2005.
II. *Néron. Le Règne de l'Antéchrist*, Fayard, 2006.
III. *Titus. Le Martyre des Juifs*, Fayard, 2006.

POLITIQUE-FICTION

La Grande Peur de 1989, Robert Laffont, 1966.
Guerre des gangs à Golf-City, Robert Laffont, 1991.

HISTOIRE, ESSAIS

L'Italie de Mussolini, Librairie académique Perrin, 1964, 1982 (et Marabout).
L'Affaire d'Éthiopie, Le Centurion, 1967.
Gauchisme, réformisme et révolution, Robert Laffont, 1968.
Histoire de l'Espagne franquiste, Robert Laffont, 1969.
Cinquième Colonne, 1939-1940, Plon, 1970 et 1980, Complexe, 1984.
Tombeau pour la Commune, Robert Laffont, 1971.
La Nuit des Longs Couteaux, Robert Laffont, 1971 et 2001.
La Mafia, mythe et réalités, Seghers, 1972.
L'Affiche, miroir de l'Histoire, Robert Laffont, 1973, 1989.
Le Pouvoir à vif, Robert Laffont, 1978.
Le XXe Siècle, Librairie académique Perrin, 1979.
La Troisième Alliance, Fayard, 1984.
Les idées décident de tout, Galilée, 1984.
Lettre ouverte à Robespierre sur les nouveaux Muscadins, Albin Michel, 1986.
Que passe la Justice du Roi, Robert Laffont, 1987.
Manifeste pour une fin de siècle obscure, Odile Jacob, 1989.
La gauche est morte, vive la gauche, Odile Jacob, 1990.
L'Europe contre l'Europe, Le Rocher, 1992.

L'Amour de la France expliqué à mon fils, Le Seuil, 1999.
Histoire du monde de la Révolution française à nos jours en 212 épisodes, Fayard, 2001 (et Le Livre de Poche).
Fier d'être français, Fayard, 2006.

BIOGRAPHIES

Maximilien Robespierre, histoire d'une solitude, Librairie académique Perrin, 1968 (et Pocket).
Garibaldi, la force d'un destin, Fayard, 1982.
Le Grand Jaurès, Robert Laffont, 1984 et 1994 (et Pocket).
Jules Vallès, Robert Laffont, 1988.
Une femme rebelle. Vie et mort de Rosa Luxemburg, Fayard, 2000.
Jè. Histoire modeste et héroïque d'un homme qui croyait aux lendemains qui chantent, Stock, 1994, et Mille et Une Nuits, 2004.

Napoléon :
I. *Le Chant du départ*, Robert Laffont, 1997 (et Pocket).
II. *Le Soleil d'Austerlitz*, Robert Laffont, 1997 (et Pocket).
III. *L'Empereur des rois*, Robert Laffont, 1997 (et Pocket).
IV. *L'Immortel de Sainte-Hélène*, Robert Laffont, 1997 (et Pocket).

De Gaulle :
I. *L'Appel du destin*, Robert Laffont, 1998 (et Pocket).
II. *La Solitude du combattant*, Robert Laffont, 1998 (et Pocket).
III. *Le Premier des Français*, Robert Laffont, 1998 (et Pocket).
IV. *La Statue du Commandeur*, Robert Laffont, 1998 (et Pocket).

Victor Hugo :
I. *Je suis une force qui va !*, Éditions XO, 2001 (et Pocket).
II. *Je serai celui-là !*, Éditions XO, 2001 (et Pocket).

César Imperator, Éditions XO, 2003 (et Pocket).

CONTE

La Bague magique, Casterman, 1981.

EN COLLABORATION

Au nom de tous les miens, de Martin Gray, Robert Laffont, 1971 (et Pocket).

Vous pouvez consulter le site Internet de Max Gallo sur
www.maxgallo.com

Photocomposition Nord Compo
Villeneuve d'Ascq

Impression réalisée sur CAMERON par
BRODARD ET TAUPIN
La Flèche

pour le compte des Éditions Fayard
en septembre 2006

Imprimé en France
Dépôt légal : octobre 2006
N° d'édition : 75841 – N° d'impression : 37605
ISBN : 2-213-63053-4
35-33-3293-4/01